石見銀山の町、大森町は深い山の中。

昔の面影を残す大森町の町並み。
重要伝統的建造物群保存地区に選定されている。

町の人口は400人。しかし近年、若者たちが移住し、
子どもの数もじわりと増えてきた。

広島から移築した大きな茅葺屋根の古民家。
通称「鄙舎」（ひなや）は社の象徴。

石見銀山の役人、阿部清兵衛が住んでいた武家屋敷を
「暮らす宿　他郷阿部家」に改装。築232年。

著者の松場登美さん。身にまとっているのは、自らデザインした服。

過疎再生

奇跡を起こすまちづくり

人口400人の
石見銀山に若者たちが
移住する理由

（株）石見銀山生活文化研究所所長
群言堂デザイナー
松場登美

はじめに

「草の種は、たとえ落ちたところが岩の上であっても、そこに根を下ろさなければならない」

40年前、この町に嫁いだときに、親戚筋から贈られた言葉です。今朝、家から会社に歩いて向かう途中、側溝の隙間に咲くタンポポの花に目がとまり、ふと思い出しました。

はじめまして、松場登美と申します。

島根県大田市大森町。通称、石見銀山の町。１９８１年、夫の故郷であるこの町に一家で帰郷したとき、ここはまさに廃墟の町のように見えました。

石見銀山が最も繁栄した江戸時代は約20万人の人口を抱えたと言われ、屋敷は１万３０００軒。全世界の産銀量の３分の１を産出していた世界有数の鉱山町でしたが、そのおもかげはどこにもなく、閉山後の鉱山町が辿る過疎化・高齢化という道を、この町も同じように辿っていました。町に人の姿はまばら、ボロボロの空き家が目立つ町でした。

目の前に広がるのは、親戚筋の言葉のように、草の根も生えぬ岩のように厳しい、さびれた光景のように見えましたが、なぜか最初から私はこの町が好きでした。

それから40年後の２０２１年。大森町の地域再生に貢献したという評価をいただき、私は思いもかけず、総務省主催の「令和2年度ふるさとづくり大賞」最優秀賞の内閣総理大臣賞を受賞しました。地域の再生や活性化に貢献した個人や団体に贈られる素晴らしい賞ではありますが、実は私は「町おこし」を意識して行動したことはありません。

大森町のためというより、自分の人生とビジネスを楽しんでやってきただけのことでしたが、結果として評価していただき、このたびの受賞となったことは、望外の喜びでした。

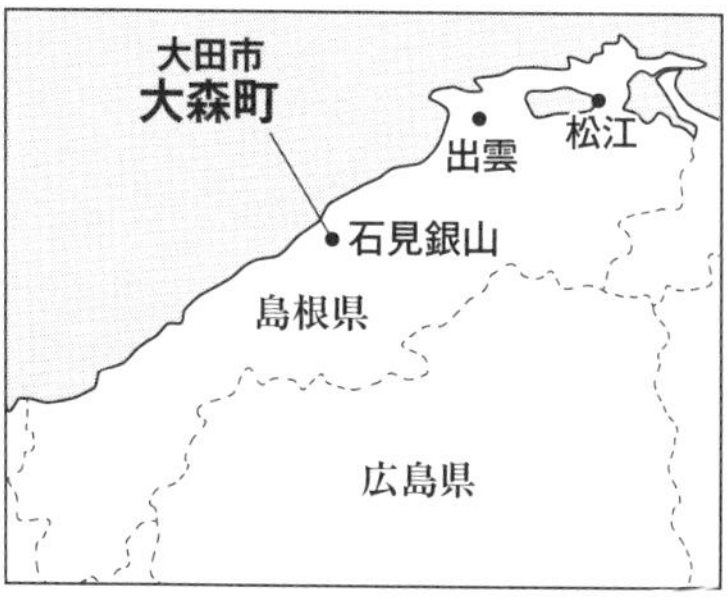

40年という年月をかけて、私と夫の大吉さんは、人口約４００人のこの小さな町に根を下ろし、ものづくりを始めて起業し、その後、空き家を再生させて店や宿をつくり、この町の文化や暮らしについて全国に発信してきました。

現在、私たち夫婦は、群言堂ブランドを中心とするアパレル業や飲食業などを行う「株式会社石見銀山生活文化研究所」という会社を営んでいます。

私は、昼間はこの会社の所長兼群言堂デザイナー、夜は「暮らす宿 他郷阿部家」（以下、阿部家）という宿の女将。夫の大吉さんは、石見銀山群言堂グループの会長を務めています。

かつては空き家が目立った大森町のメインストリートには今、古民家を改装した「石見銀山 群言堂」本店をはじめ、古民家宿「他郷阿部家」、我社の情報発信を担う「根のある暮らし編集室」、社員が暮らす社宅や女子寮が並んでいます。

そして、そこから少し離れた山裾に、ワークステーションと名づけた本社と本社のシンボルである大きな茅葺の家「鄙舎」があります。大森町で働く社員は65名。そのうち3分の2は、Iターン・Uターンで移住してきた若者です。

会社の経営は常にピンチの連続でしたが、長い間つづけられたのは、土地のテンポに合わせ、ゆっくりと時間をかけて進んできたからかもしれません。自分の心のおもむくままに暮らしを楽しみ、心躍る毎日を過ごしながら夢中で働いてきましたが、今回賞をいただけたことで、私たちが選んできたことを後押ししていただいたようで、これでよかったのだと確信につながったような気がします。

この本は受賞をきっかけに、地方に暮らし、地域の町づくりに悩んでいらっしゃる方々へのヒントになればとの思いから生まれました。人口減少、高齢化で地域社会の担い手がいない、外から人を呼ぼうにも、その地域の魅力に気づいていない方も多いことでしょう。

でも地方には、その土地にしかない気候風土や歴史、文化があります。私の講演会の演題は、いつも「足元の宝を見つめて暮らしを楽しむ」ですが、どこの地方にも必ず宝物はあるのです。ただ、自分の足元にあるものは当たり前すぎて、なかなかその価値に気づきにくいのかもしれません。

日本の田舎ならどこにでも自然はあります。何もないと思いがちですが、実はこの自然こそが素晴らしい宝です。

また町には、時間の経過で蓄積された歴史があります。そこには何があったのか、どんな経緯で今の町ができたのか、その土地の歴史をひも解くことで、見えなかった価値が見えてきます。

「土地の歴史をひも解く」という考えは昔、大森町を訪れたアメリカ人ジャーナリストの方から教わったもの。その方は、アメリカのあるスラム街を取材しているときに、古い資料からかつてその町に水路があったことを発見し、今は荒れてしまった町にも、豊かな水の歴史があったことを知ることになりました。住民とともに町の歴史や地理を研究するうちに、彼らも自分たちの町に誇りを持つようになったと話されていました。

大森町にも、たくさんの宝があります。私は暮らしを楽しみながら見つけた町の宝を、事業やいわゆる町づくりに生かしてきました。この本では、この40年間を振り返りながら、私が「足元の宝」をどのように見つけて、それをいかにして事業や町づくりにつなげていったのか、お伝えしていきたいと思います。地域の発展に力を尽くされているみなさんのお役にたてるのなら、これほどうれしいことはありません。

目次

第4章　町の風景で大切にしているものを伝える……105

第1章

「足元の宝」を見つけて生かす

「足元の宝」の価値を教えてくれたのは、外の人

川のゆるやかなカーブに沿って立ち並ぶ、武家屋敷や商家など古い建物。背後の山裾には社寺や遺跡がある歴史的な風景。四季折々の野花が咲きほこる自然環境。大森町には、たくさんの「宝」があります。私は初めて来たときから、この町が好きでした。だからといって最初から、この宝の価値に気づいていたわけではありません。ましてや、それを事業や町のために生かそうという発想もありませんでした。最初に、その宝を生かすことが、事業や町のためにつながることを教えてくれたのは、他の地域で町づくりに取り組む「外の人」でした。

始まりは、大森町内の古民家を改修して店を開いたブラハウス創業期にさかのぼります。その店は現在の群言堂本店です。

当時、名古屋で暮らしていた私たちは帰郷し、「手作りショップ・ＢＵＲＡ　ＨＯＵＳＥ（ブラハウス）」という看板を掲げて、私のつくった布小物を売り始めました。

ブラハウスの商品は「ロゴをはずせば、お母さんの手づくり」がコンセプト。全くの素人で始めた私には、それしかつくれませんでしたが、当時、こういうあたたかみのあるものが求められていることは、何となく感じていました。

名古屋時代、私たちは貧乏で家には何もない。粗大ゴミ置き場から拾った家電や家具をピカピカに磨いて使う「拾いもの生活」を楽しんでいました。

あるとき夫は、粗大ゴミ置き場にミシンが次々と捨てられていることに気づきます。家庭ではもう縫いものをしなくなっている、お母さんが子どもにレッスンバッグや給食袋をつくらなくなっている。ならば、そういうものをつくったら、売れるんじゃないか……。夫の嗅覚が働きました。そこからブラハウスは、お母さんの手づくりのぬくもりを大事にした商品をつくり始めたのです。

大森町の夫の実家は呉服店でしたが、下着やタバコなども扱う、いわゆるなんでも屋さん。最初はその店の一角に私たちの商品を置かせてもらっていました。でも人通りもない町に並べているだけでは、なかなか売れません。夫は義父のワゴン車を借りて実家で扱う下着や私のつくった商品を積んで、駅のコンコースやスーパー、土産物屋などで行商販売を始めました。最初は大田市など近郊から始めて、だんだんと地域を広げ、やがて中国山地を越えて広島まで出かけるようになりました。

そのうち夫のほうから「こういうものが売れる」「こんなものをつくったらどうだ」と言ってくるようになりました。それをもとに私がつくり、また夫が売り歩くという分業体制ができてきました。

といっても、いつまでにどれぐらいと決まった数が生産できるわけではないので、私がつくって、ある程度たまったら、夫が売りに行くという感じでした。ときには、私も一緒に売りに行くことがありました。

折しも世はカントリーブーム。マスコットやポーチ、ティッシュカバー、エプロンなど私のつくった商品は、どんどん売れました。

最初の代表的なヒット商品は荒神ぼうきという手ぼうきに、顔をつけ服を着せて人形に見立てた「ほうき人形」。５００円ぐらいで飛ぶように売れました。それから「わら草履」です。近所にわら草履を編むおばあちゃんがいて、鼻緒をチェック柄の木綿で包んだわら草履をつくってもらったら、これもよく売れました。

このころ私が意識していたのは、カントリーといっても、アメリカンカントリー

ジャパンカントリーを意識したブラハウスの商品群。
特に力を入れていたのはエプロン。

ではなくジャパンカントリー。わら草履は大森町らしさがあふれる、まさにジャパンカントリーの商品でした。

古びた空き家が宝に変わる

1987年、私たちは一つのチャレンジのつもりで、東京・晴海で行われたインテリアの展示会「ジャパンテックス」に、ブラハウスとして初めて出展しました。ブース内には、大森町の古い町並みの写真パネルを展示し、背負い籠を置いたり、薪(まき)を積んだり、石見銀山の暮らしをイメージしてディスプレイしました。

大量生産、大量消費の時代だからこそ、人のぬくもりや懐かしさ、ほっとする、そういう手づくりのものは価値があると私たちは感じていました。そしてものだけでなく、ものを通して私たちの暮らし方や生き方を表現したいという気持ちも持っていました。そこで夫は戦略的に石見銀山の暮らしを前面に押し出しました。「ブラハウス」と「石見銀山」、ダブルブランドで売り出すことを考えていたのです。

展示会は初日から、注文させてください、名刺交換してほしいと、お客さまがひっきりなし。雨後の筍のように全国各地にカントリー雑貨店ができて、業績をどんどん伸ばしていった時代です。そういう店がブラハウスの取引先として名乗りを上げてくださった。私たちはこの展示会で、家業から企業に持っていけると自信をつけて大森町に戻りました。

初めての展示会で手ごたえを感じた私たちは、ブラハウスの店を持つことを考え始めました。カントリー雑貨だから、どこか景色のいいところにログハウスでも建てられたらいいね、なんて話していたところに、大森町が重要伝統的建造物群保存地区（以下、重伝建地区）に選定される動きが出てきました。

重伝建地区に選定されると生活が不自由になるのでは、と不安視する声も住民の中にはあったようですが、この町が取り残されていく、どんどんすたれていくという危機感のほうが強かったのでしょう。おおかたが、この動きに賛成の立場でした。

地元では先進の重伝建地区を視察するために、キャラバン隊が結成され、夫もそれに参加しました。しかし、どこに行っても、どうもピンとくるものがない。その町には、その町にしかない歴史と文化があるわけですから、そもそも真似しようというのが難しいのかもしれません。

そんな中、夫に大きな衝撃を与えた町がありました。愛媛県の内子町。江戸時代に木蠟や和紙の生産で栄えた佇まいを残す、歴史のある町です。

町を歩いていた夫は、何か食べようと、ある一軒の飲食店に入りました。そこは古い梁や柱をうまく生かし、素敵に改装されていた、まさに今でいう「古民家カフェ」でした。こんな古民家の生かし方があるのか、これならうちでもできるかもしれない。「古民家を生かせば素敵な店になる」ことを夫は知ったのです。

内子町から帰ってきた夫の頭からは、すでにログハウスのことは消えさっていました。この町には、内子町のように古民家がたくさんある。店をつくるなら、新築するのではなく、この町にある古民家を改装してつくろう。もともとあるものを生かそう、という方向に考えが変わっていたのです。見慣れた大森町の古びた空き家が、このとき初めて、実は素晴らしい宝であるということに気がついたのでした。

遠路はるばる行くことに価値が生まれる

内子町のように古民家を生かして店をつくろう。そんなふうに話していたある朝、自宅の玄関を掃除しているときに、家の真ん前の傾きかけた古い大きな家がふと気になりました。これまで気にも留めていなかったのに、気になり始めると、気になって気になって仕方ない。私たちがその家を買って、店にしたらいいんじゃないか、そんな考えがむくむくとわいてきました。

その家は、もともと庄屋。つくり酒屋の番頭さんが住んでいたこともあったようですが、そのときは空き家になっていました。

でも私たちは大森町に帰ってきたばかりで貧乏のドン底。借金するといっても、そこまで仕事の業績を上げているわけでもなし。しかし松場家の先祖の方々からのお力があったのか、当時にしては、かなり高額な借金をして、その家を買うことができました。夫は銀行で「一世一代のハッタリをかました」と、今も言っていますけれど（笑）。

同時に町が重伝建地区に選定されて、私たちも「古い町を大切にしていこう」という意識が強まっていきました。

しかし大森町には鉄道の駅もない。バスは1日数便。この辺鄙（へんぴ）な場所に店をつくることに「こんなところに店をつくっても人が来るわけない」「店を出すならもっと町の中のほうがいい」など、周囲からは反対の嵐。

実はこの店をつくるときに、大田市内の商業施設からもお誘いがありました。でも、どうも気が進みません。結局、すべて断って、私たちが大森町に店を出すことに決めたのは、私たちなりに「ここだからやっていける」という勝算があったからです。

というのは大田市の中心部に店を出しても、お客さまの対象は大田市の人だけ。でも中心部から離れた田舎の大森町に店を出せば、自分たちのやり方で自由にできるし、全国各地からわざわざお客さまが来てくれる予感がありました。以前、行商時代に知り合った広島のお客さまが、中国山地を越えて大森町まで車で3時間の道のりをオリエンテーリングのように楽しんで来てくださったことがあったからです。

「町に入れば入るほど地域の店になってしまうけれど、中心から離れた山の中や沿岸部にいくと広域圏が生まれる」

夫は学生時代に読んだ経済学の本を引用しながら、大森町での商売は田舎だからこそ広域的な発展がある、そのほうが将来的にも広がっていくだろうと話してくれました。

そのときに夫がふと思い出したのが、滋賀県大津市に本社のある叶匠壽庵（かのうしょうじゅあん）という和菓子屋です。かつて名古屋で製菓会社のサラリーマンをしていた夫は、叶匠壽庵について見聞きしたことがあったのです。山の中に叶匠壽庵の店や工場、畑が点在する「寿長生の郷（すないのさと）」は、現在はよく知られた人気スポットですが、当時、わざわざ人里離れた山の中に店をかまえるのは常識をこえたやり方でした。

おそらく経営者の方は、山の中の店をお客さまが探すことの楽しみ、探してまでわざわざ行く道中の楽しみがあるから、人里離れた山中でもお客さんがやってくると確信していたのではないでしょうか。私たちも叶匠壽庵のこの方法に影響を受けました。

お客さまは、どんなに不便な場所でも、必ずお見えになる。不便だからこそ、その価値が高まることもある。石見銀山に店をおくことが、ブランディングになると考えたのです。

ブランディングといえば江戸時代、この石見銀山がブランド化したことがありました。それは「石見銀山鼠（ねずみ）取り（猫いらず）」という毒薬。銀とともに採掘された鉱石はヒ素を含み、その鉱石を粉砕して殺鼠剤（さっそざい）として出したものが「石見銀山」や「猫いらず」と呼ばれて、全国的に大ヒット商品となっていたのです。そういう歴史的背景も私たちに変な自信を持たせました。

石見銀山鼠取り（猫いらず）、いったいどうやって世に広まったのか。地元の人たちに聞いてみると、どうやら口コミの効果が大きかったらしい。私たちの事業づくりも町づくりも、この口コミがカギになるだろうと話していました。

便利、簡単、早い。効率性がもてはやされる現代にあって、大森町は小さくて不便で遠くて非効率的。だけど、この町には歴史ある町並みや豊かな自然、助け合おう、支え合おうとする、あたたかな人々との暮らしといった宝があります。

ここを訪れるお客さまに精いっぱいおもてなしをして、喜んで帰っていただく。それを積み重ねていけば石見銀山鼠取り（猫いらず）のように、その噂が口コミで全国に広がるのではないかと思ったのです。

土地に対する愛着を言葉にする

私たちは、ボロボロの空き家を買い求めたあと、さっそく改修に取りかかりました。このあと町外も含めて10軒以上続く、古民家再生の記念すべき1軒目です。

まず玄関入ってすぐの二間(ふたま)を改修し、私たちの考え方をあらわすショールームとして本店をオープンさせました。そこから売り場を広げ、カフェ、ギャラリー、2階にはイベントスペースをつくり、何年もかけて現在の形につくり上げました。

当時はバブル経済も終わりに近づいていたころ。観光地では、店の玄関先まで商品があふれていました。スーパーも商品を積み上げて、いちばん目につくところに、さらに蛍光塗料で目立たせた値札がついていました。

しかし私たちにとって、この店はショールームという発想でしたから、商品はいちばん奥。扉を3枚開かないと商品が見られない店にしました。つまり玄関でディスプレイを見て、これにピンと来た人だけが入るしくみです。店先に商品を並べる一般的な方法とは逆ですよね。ディスプレイには、昔の農具や古い家具を組み合わせたり、アーティストの作品を並べたり。店舗にも、メダカの鉢、石見焼きの花びんや唐箕(とうみ)など、田舎の納屋に捨てられるようなものを並べて、大森の暮らしをイメージした独自の世界観をつくりました。

オープン初日には、地元の方々が来てくださったものの、それ以降は残念ながらお客さまは誰一人来られませんでした。ですからその後も、私たちは行商販売を続けていました。

あるとき二人で広島に行商に行き、いつものように中国山地をこえて帰るときのこと。運転する夫が「ちょっとメモしろ」と突然言い出しました。そこで私がメモしたのがこの言葉。

「私たちは石見銀山を愛し、この地に根を下ろしたものづくりをしてゆきたいと考えています」

のちにブラハウスの商品すべてのタグに入れた一文です。

夫は以前からブラハウスと石見銀山のダブルブランドで売っていくことを考えていました。ビジネスで考案されたものは真似されたり、飽きられたりするけれど、歴史や文化など時間をかけて生み出されるものは普遍的です。石見銀山は近代化にのり遅れ、町並みは経済発展に取り残された町だからこそ、宝がたくさん残っている。単に商品を売るだけでなく、この町の歴史や文化も売っていこう。

土地に対する愛着をはっきりと言葉にしたことで、私たちのものづくりは、いっ

(上)再生前のブラハウス本店。
元庄屋を大借金して買い求めました。
(中)ブラハウスオープン後の大吉さんと私。
古民家再生の記念すべき1軒目です。
(下)タグの文言は、石見銀山でものづくりを
していこうという覚悟のあらわれ。

そう町と深く関わることになっていきました。

わざわざ足を運んでいただく工夫

オープン当初は誰一人訪れなかった店に、徐々にお客さまが来てくださるようになったのは、新聞の折り込みチラシの効果が大きかったのかもしれません。チラシが配布されたのは、大田市内。それほど広い地域ではありませんでした。

一般的に店の折り込みチラシは、商品の写真と値段が大きく出ていますが、ブラハウスではそれらは入れず、「Dear My Friends」と題した手紙のようなチラシを入れていました。

内容は、私たちの身の回りに起きた面白いことや素敵に思ったことなどを、友人にあてる手紙のように手書きでつづったもの。文章は私がすべて書きました。

クラフト紙に手書きの文字とイラストしか入れなかったのは、単にカラー写真を入れるお金がなかったから。商品の紹介もあったかなかったか、宣伝する気はあるのかというほど素朴なチラシでしたが、それが当時としては斬新(ざんしん)だったようで、けっこう反響がありました。

　商品は来て見ていただければわかるので、ものではない考え方をチラシで伝えたいという思いが第一でした。興味を持ってもらえれば、みんなつい来てしまいますよね。実際、面白い店があるみたいよ、とだんだんとお客さまが増えていきました。いつかタクシーに乗ったときに、運転手さんが「お宅のチラシが好きで、ずっととってあるんですよ」と言ってくださったこともあります。

「Dear My Friends」に始まったお客さまへのお手紙は、のちに展示会のダイレクトメールに変わりますが、ここでも商品のことはあまり触れていません。書いてあるのは、今私たちはこんなことを考えています、こんなことをして暮らしています、ということ。ちょっと不思議なメーカーですよね。

　また我社のお歳暮は創業以来、ずっとサツマイモですが、そこには「石見銀山講釈藷（いも）」というお手紙を添えてお贈りしています。

　そもそもなぜサツマイモかというと、大森町には江戸時代の大飢饉（だいききん）のときに芋で民を救った井戸平左衛門（いどへいざえもん）さんという立派な代官様がいらっしゃった。地元には、「芋代官」と慕われていたその方を祀った井戸神社という神社もあります。

夫はその神社の総代を務めており、我社の社員も節目には神社の掃除をしています。そういうこともあって、どんな大きなお取引をしていただいているお得意さまもお歳暮はサツマイモなのです。

石見銀山講釈譜には、井戸平左衛門さんの偉業を伝えるとともに、「人間は煮ても焼いても食えないやつというのがいますが、サツマイモは煮ても焼いても食えるやつで……」とか、「芋づるは、何かにすがって伸びるのではなく、地を張って自力で伸びようとする」とか、いつも芋にかけて小話を書いていました。お歳暮一つ贈るにも、石見銀山の歴史に自作の物語を入れていたわけです。

展示会も大森町で

話をブラハウスの店に戻しましょう。店には「コミュニケーション倶楽部・ブラハウス」という看板を掲げました。単にものを売るだけの空間ではなく、人と出会うコミュニケーションの場になることを目指したからです。

私自身、この町に嫁ぎ、ちょっと素敵な雑貨や洋服を買えるところがあったらいいな、辛（つら）いことがあっても気分を切りかえられる、おしゃれなカフェがあったらいいのに、という思いがずっとありました。ならば、自分でつくってしまおう。店にカフェをつくり、ギャラリーをつくり、そうやって自分のほしいものを一つ一つ形にしていったんです。

以前、松江市に講演に行ったときに、近郊の町に住んでいたという一人の男性から「ブラハウスのおかげで、女房に逃げられずにすみました」と言っていただいたことがあります。この辺りには楽しめる場所がありませんでしたから、都会から嫁いできた奥さんは、息をつける場所がなくて、とても辛かったと思います。でも、そういう方が足を運んでくださったというのは、うれしいこと。そういうふうに町の中で、人が憧れるお店になりたいなというのは最初に店をつくるときからありました。

また店ができてから、展示会は地元で行うようになりました。当時、展示会といえば東京か大阪が当たり前の時代。「石見銀山でやります」と言うと、２００軒ぐらいいらっしゃったお得意さまは、みんな「エーッ」って。最初は驚かれましたが、

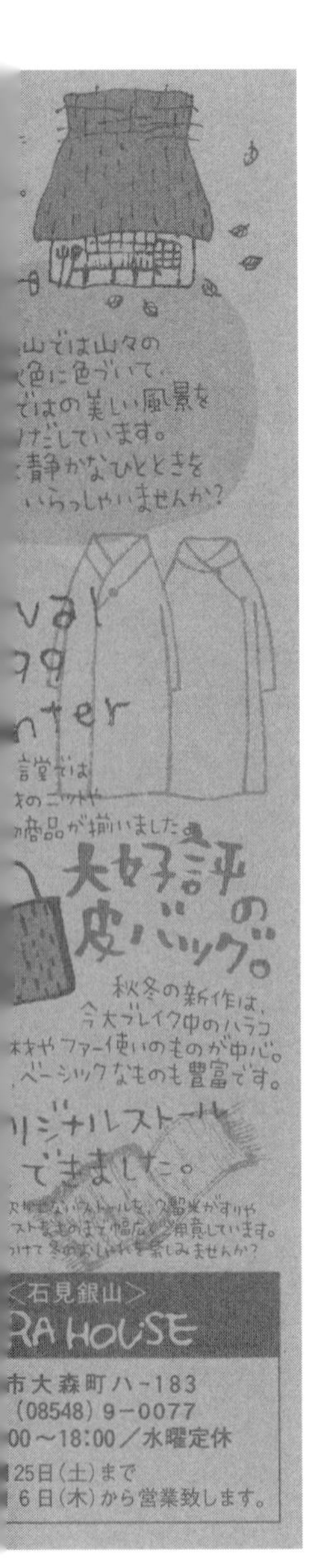

型破りだった手書きのチラシ「Dear My Friends」。

もうすぐたのしいクリスマス。
ティールーム ル・ブランではテーブルクロスをクリスマスカラーにしてみました。
あたたかいものを飲みながらクリスマス気分にひたってみてはいかがですか？

BURAHOUSEからおしらせ。

はぎれや大吉では。

2000年カレンダーキット
毎年ディスプレイ用に大吉スタッフがキルティングカレンダー。
そのほかベビー用キットやお値うち品、新柄の生地も豊富です。ぜひご来店ください。

Country Lifeシリーズ
とってもブラハウスらしい新シリーズ new
こてこてのカントリーです。クリスマスプレゼントにどうぞ。

Bottled Spice入荷
自分でフレーバーできるボトルドスパイス。和・洋・中、豊富にそろいました。

冬はやっぱり鍋でしょう。
というわけで土鍋たくさんあります。

気は早いですがお正月グッズ入荷いたしました。
2000年カレンダーもあります。

ブラハウスのNEWエプロン
シンプルだからおしゃれ。ウエア感覚で着れる、そんなエプロンを目指しました。

大森ようちえんから
平成12年度園児募集のおしらせ
大森町の豊かな自然、小規模幼稚園ならではのゆきとどいた保育、そんな環境をお子さまのために選んでみませんか？
(町外の方でも通園していただけます)
お問合せ…大森幼稚園
(08548) 9-0669

第8回「石見銀山 銀の針」賞作品展へ
11/20 sat. 〜 12/19 sun.
ブラハウス2Fにて

「銀の針」賞は布を主にした手づくりのお好きな方ならどなたでもご応募いただけるコンクールです。今年も全国から見ごたえのある力作がよせられました。ぜひ、ごらんくださいませ。

Dear my friends,

荻原井泉水という人の「豆腐の如く」という文章を読んで人としてのあり様もこうでありたいと思ったものでした。私なりに解釈してご紹介してみましょう。

一見、仏頂面をしているが決してカンカン頭の木念人ではなく、軟かさの点では申し分がない。しかも身を崩さぬほどのしまりをもっている。煮ても焼いても食へぬ奴とは反対に煮てもよろしく、焼いてもよろしく、沸きたぎる油で揚げても、寒天の空に凍らせてもそれぞれの味を出す。豆腐ほど相手を嫌はぬ者はない。チリの鍋に入っては鯛と同座して恥じない。スキの鍋に入っては鶏と相交わって相和する。ノッペイ汁では大根や芋とよき友人であり、おでんにおいては蒟蒻や竹輪と協調を保つ。正月の重詰の中にも顔を出せば、佛事のお皿にも一役を承る実に融通がきき、自然にすべてに順応する。すなわち、我を持たずして無我の境地に到り得ているからである。與へられたる所へ従って生き、あるがままの時に即して振舞う。この自然にして自由なるものの姿、これが豆腐なのである。融通無碍とは豆腐のことなのですね。

豆腐をもってこれほど言いあてている言葉は他にないでしょう。これからの季節、湯豆腐、おでん、鍋物などお豆腐を食する機会も多いことでしょう。そのとき、この言葉を思い味わってみてはいかがでしょうか。実は私、実家が豆腐屋。豆腐屋の娘にしては、まだまだ固すぎると反省する今日このごろです。

with love.

心を込めてここならではのおもてなしをしました。来てくださるお得意さまを1日数組に絞って、送迎つきでゆっくり石見銀山をご案内しました。地元の料理を食べていただき、近くの民宿に泊まっていただく。大森町での展示会は好評で、1泊される方もいれば、2泊される方もいて、ご家族でおいでになる方もいらっしゃいました。お得意さまには、大変な出費のうえ時間を費やしていただきましたが、ここで観光を楽しまれたり、お得意さま同士の交流が生まれたりしてとても喜ばれました。

こうして大森町で展示会を行い、お客さまをお招きすることで、大森町の交流人口は増えていきました。私たちの事業が軌道にのることで町に還元でき、結果的に町の活性化につながることが実感としてわき始めました。

持続可能なのは「逆行小船」

経済性や効率性から背を向けて、あえて非効率なことを選ぶのが、昔からの大吉さんのやり方です。夫の座右の銘は「逆行小船（ぎゃっこうしょうせん）」。大きな船で大河を目指すのではなく、小さな船で清流をさかのぼることは、危険をともなうかもしれないけれど、その先には清々しさや美しさのある世界があるといいます。

ずいぶんあとの話になりますが、まさしく逆行小船だったのが、JR高尾駅に群言堂の店舗を出したとき。同時期に東京駅での出店の話もいただいていましたが、夫はあえて高尾駅を選んだのです。

誰がどう見ても東京駅のほうが有利。でも高尾駅は古くて味わいのある木造の駅舎があり、その駅舎の保存のほうに夫は興味があったようです。調べてみると石見銀山の初代奉行であった大久保長安という人物が、高尾周辺に関わったという歴史もありました。そういうことがどんどん出てくると、夫の頭からは、東京駅の話はどこかに飛んでいく（笑）。

当時、あえて不利と思われるほうを選んだことで、夫はみんなに変人扱いされましたが、高尾駅の木造駅舎が残り、高尾駅の店が10年以上つづいているのを見ると、この選択はよかったと思います。

夫の逆行小船というやり方は、経営者としては賢い選択とは言えないかもしれませんが、社会的な意味で「持続可能」な商売にしていくには、あながち間違ってはいないのではないかと思うのです。

1章まとめ

「**外の人**」の声に耳を傾けると、
見えなかった地域の「**宝**」に気づく。

不便は不利ではない。
わざわざ足を運ぶことに**価値**が生まれる。

目玉商品はいらない。
その**土地の暮らしの小さな喜び**を伝える。

第2章

町づくりは
町の仲間と一緒に

イベントで得たのは人という財産

この町に帰郷したときは、大吉さんが27歳、私が31歳。町の若者は、ほとんど外に出ていく時代でしたが、ブラハウスの本店には、営業終了後、町内外から同世代の若者たちが集まってきて、毎晩みんなでワイワイとこの町の未来について夢を語り合っていました。この町出身の大吉さんは、特に自分たちが何とかしなければならないという思いが強かったと思います。

そこで、いつも集まる30~40代のメンバーが個々人の夢を語り合い、それをメンバーで応援して行動に移す「石見地域デザイン計画研究会（ＩＬＰＧ）」を結成しました。メンバーは市役所の職員や歯医者、写真家など。職種はバラバラでしたが、いずれもこの近郊のキーパーソン的な人たちでした。

会長に就任したのは、唯一の女性だった私。自分は奥に隠れて、妻の私を前面に押し出すのは、昔から夫の得意技なのです（笑）。

本店ができた2年後、重伝建地区のサミット「町並討論会」が本店2階のイベントスペースで行われました。この討論会にいらっしゃった長野県・妻籠（つまご）の町並み保存の中心人物の小林俊彦さんから聞いた話に、私たちはすっかり感化されました。

小林さんは妻籠が大好きで、古い町並みを何とか守りたいと思ったけれど、よそものだったからなかなか地元の人に理解されなかった。だから、とにかく自分は町のあちこちで妻籠が好きだと言いつづけたというのです。大森町の私たちも、町の中で、この町が好きだと宣言しようということになりました。

翌日の夕方のことです。本店の前に集合した仲間たち5〜6人が一斉に大きな声を上げました。

「私は大森が好きだ！　私はやるぞ！」

そう叫びながら町内を練り歩き始めました。私たちのシュプレヒコールに近所の人たちの反応は……そりゃあ冷たいものでした（笑）。あっちに行ってくれ、といわんばかりに戸をピシャッと閉められてね。

でも私はそのとき、人間というのは、どこかで吹っ切れたほうがいいと思いました。やりたくてもやれないというのは結局、自分たちの行動力そのものが問われています。そのころの私はまだ「松場家の嫁」ということを意識して、いいお嫁さんとか、いいお母さんと思われたいという気持ちがあり、大人しくしていましたが、それもちょっと辛いところがありました。でも、吹っ切って一緒になって叫んだことで「あの人、かなり変わり者」と思われて、かえってよかった。このできごとはシュプレヒコール事件と呼ばれて、今でも語りぐさになっています。

ＩＬＰＧは、会といっても会費も会則もなく、誰かが何かをやりたいと言ったら「この指止まれ形式」で実行するものでした。

最初はメンバーの一人が、チェリストの藤原真理さんの大ファンで、この銀山の町にチェロの音色を流したいと言い出しました。じゃあ藤原さんにお願いしてコンサートをやろうということになり、そして本当に本店の2階で実現したのです。

その後もクラシックコンサートは定期的に開催していましたが、そのつど私たちは、演奏者の人が来たら、びっくりするような舞台をつくることに命をかけていました。ここまでやるかっていうぐらいバカげたことばかりでしたが。

あるときは、家一軒分の石州瓦を持ち込んで屋根をつくり、その向こうにピアノ

（上）本店2階に石州瓦を持ちこんで舞台をしつらえた「屋根の上のピアノ弾き」。
（下）酒屋さんから借りたビールケースをイスにして「ビールケースコンサート」を開催。

を置いて、「屋根の上のバイオリン弾き」ならぬ「屋根の上のピアノ弾き」を演出したり、あるときはイスがないから酒屋さんにビールケースを借りて、その上に座布団を置き布をかぶせて席をつくって、「ビールケースコンサート」って名づけたり、本当にみんなで楽しく遊びながらやっていました。

来てくださる演奏者の方は、藤原真理さんをはじめ、チェンバロ奏者の小林道夫さん、バイオリンの岡山潔夫妻など、そうそうたる顔ぶれ。でも、どの方も私たちが出会った方々とのご縁でつながって来てくださっていました。

サックス奏者の坂田明さんも来てくださいましたが、坂田さんとの出会いもまさに奇遇というべきご縁でした。夫が出張先の名古屋で、たまたま仲間たちとジャズの聴ける店に入ったところ、坂田さんたちのグループに出会ったんです。ところが、そこで夫のグループと坂田さんのグループの人が、酔っ払って喧嘩を始めた。その仲裁に入ったのが夫と坂田さん。坂田さんに「どこから来たんだ」と聞かれて「石見銀山から来た」と言ったら、「俺は広島だから今度行くぞ」っておっしゃって本当に来られた（笑）。それでコンサートをしていただいて、今でも深いおつき合いをしていますよ。

私たちは世間知らずで、実はすごく著名な方だったとか、とても気軽に頼める方ではなかったとか、あとから知って、冷や汗が出るような思いをすることもしょっちゅうでした。でも私たちが何も知らなかったからこそ、実現できたのだと思います。こういったイベントは、店の利益とはほとんど関係ありませんでした。しかし直接的な利益にならなくても、そこから見たり聞いたり学んだりした間接的な利益は大きなものです。ものを販売して得る現金が目に見える財産なら、こういう場で得られる学びは、目に見えないけれど、かけがえのない財産だと思うのです。またこういったイベントが、この町に人を集める呼び水になったことも間違いありません。

現在、我社に経営の指針を与えてくださっている鎌倉投信の鎌田恭幸社長との出会いも、たまたま20年前にここにコンサートを聴きに来てくださったことがきっかけでした。鎌田さんのご実家は隣町。たまたま帰省したときに、ここでコンサートがあることを知って聴きに来られたのです。

コンサートのあとは、いつも交流会と称して飲み会をしていたのですが、そこでニコニコしながらお話しされている男性がいらした。私が周りに「あの方は誰かしら？」と聞いても、誰も知らないって。それが鎌田さんだったんです。

それからはずっと親しくさせていただいていますが、もしあのときに鎌田さんがコンサートに来てくださらなければ、現在のおつき合いはなかったでしょうね。

補助金には頼りすぎず、自力でできる範囲で

ここ大森町では毎年、町民を１枚の集合写真におさめた「町民元気カレンダー」を制作しています。この活動を始めたのが１９９１年。シュプレヒコール事件のあとですから、もう30年になります。

町民元気カレンダーのアイデアは、いつものようにＩＬＰＧの仲間たちと飲みながら話しているときに出てきました。小さな町だからこそできる素敵なことはないかなって。そこで市役所の職員のメンバーが、お年寄りを巻き込んだ事業に補助金が出るという話を持ってきた。それじゃ、それを受けてやろうと町民元気カレンダーを始めることになったのです。

カレンダーの撮影日は、お祭りの日や文化祭、運動会など、なるべくみなさんが

集まりやすい日に。事前に回覧板で撮影日と場所を知らせます。

町民全員といっても、参加者の多い年もあれば、少ない年もあります。天候が悪いと、なかなか集まりません。でも少なければ町民にこだわらず、たまたま来訪されていた方にも声をかけて、一緒に入ってもらいます。

町民のみなさんに賛同していただけないとできないことなので、こんなに長くつづいていること自体、すごくうれしいことですよね。あれに写っておけば来年も元気でいられるってジンクスがささやかれるほどになりました。こんなに長くつづけてこられたのは、ひとえにこの町の人たちの協力があったからだと思っています。

30年もつづけていると、小さな子どもが大きくなって、お父さん、お母さんになって、私もおばあちゃんになりました。人の歴史が町の歴史になるのも、この町民元気カレンダーの素敵なところです。私はこのカレンダーの50年アルバムをつくるのが夢なので、そうすると91歳まで生きなければいけません（笑）。

完成したカレンダーは、町民全員に配りますが、ご希望があれば、この町出身の方とか、たまたま一緒に写った方にもお送りしています。

長つづきの秘訣（ひけつ）は、ゆるやかにみんなで協力していくことでしょうね。私たちも運営をここと決めず、そのつど責任を持ってやってくれるところにバトンタッチしながらやってきました。

　最初はＩＬＰＧの会で補助金をもらいながらスタートしましたが、補助金がもらえたのは３年ぐらい。補助金が打ち切られたあとは、自分たちのポケットマネーでやったこともあったし、うちの会社でやったこともありました。今は納川(のうせん)の会というＮＰＯ法人で予算がとれるようになったので、そこが担当しています。

といっても任せきりにするわけではなく、運営をお願いする代わりに、会社が印刷費用を出すなど、それぞれが地域のために無理のない範囲でやっているのがいいのかもしれませんね。

　自治体の補助金に頼りすぎると、お金をかけすぎたり、逆に自力でできなくなったりします。自分たちのできる範囲で、何かできることを見つけてコツコツやっていくことが、地域で何かしたいと思ったときに大切なポイントになると思います。

町の人たちの協力があってこそ、つづけてこられた「町民元気カレンダー」。
上右が1992年、上左が2008年、下が2021年のもの。

女性の意識が変われば、町が変わる

個人の夢を、みんなが応援して実現するのがＩＬＰＧ。会を結成して1年後、私は女性の意識変革を起こすようなイベントをＩＬＰＧでやりたいと思い始めました。消費の多くは女性が担っています。女性の価値観が変われば、世の中が変わる。そういう意味で、私は女性の変化を望んでいました。

たとえば、春。ここは山菜が山ほど採れるのに、お客さまがあるときはスーパーで買ったもので料理をつくったり、季節の花が裏庭に咲いているのに、わざわざ花屋で買ってきて飾ったり。当時はそういうことを贅沢(ぜいたく)に思っている人が周りに多かったんですね。

また町内の会合では、うちのじいちゃんがこう言っているとか、うちの主人はこう思っているとか、口にするのは人から聞いたことだけ。本当は自分の意見を持っているのに、それは口に出してくれません。私は田舎でもっと豊かに暮らすためには、女性の意識が変わらないとだめだなと強く思っていました。

そこで、私はＩＬＰＧで「田舎に暮らす女性の意識を高め、より豊かな暮らしを考える」をテーマに「鄙のひなまつり」というイベントを始めました。このイベントは１９９３年から年に1回開催し、10年つづきました。

毎回ゲストをお呼びして、日中はゲストの方を交えたシンポジウム。その後はその年のテーマに沿ってグループにわかれてディスカッション。夜は大宴会です。その日ばかりは男性陣はエプロン掛けをして、準備からあと片づけまでするのが鄙のひなまつりの決まりです。

ゲストにお招きしたのは、藍染め研究家の加藤エイミーさん、作家の森まゆみさん、東京大学教授（当時）の西村幸夫先生、挿花家の二部治身さん、デザイナーの梅原 真さん、金沢大学教授（当時）で地質学者の田崎和江さん、オーガニックコットンを扱うアバンティの渡邊智恵子さん、サントリー文化財団の小島多恵子さん、インドの刺し子、カンタ刺繍作家の望月真理さん、他にも各地域でご活躍の女性たち。10年目は過去に来ていただいたゲスト全員をご招待しました。

参加者は県外から訪れる方も多く、年々増えて、最も多い年で１００人ぐらい。

スタッフも大勢手伝ってくれていましたから、場所や食事も工夫しないと回りません。左官職人さんにしつらいの一部として、土壁の下地にする「こまい竹」を編んでもらったり、大工さんには会場に張り出しの舞台をつくってもらったり、地元の方たちに山から山菜を採ってきてもらったり。

山菜は割った竹に花のように活けて、自分のトレーに好きなものをとって、すぐ横で揚げてもらう天ぷらビュッフェにしたら大好評。大きな鉄鍋で大量につくったシジミ汁は、松場家の蔵から出してきた塗りのお椀によそって。お金はかけていませんが、すごく贅沢でしたね。

しつらえは、とても感性のいい地元のデコレーター、山内真澄美さんが担当してくれました。入り口に伸びすぎた筍を吊るしたり、古着と大根をうまく組み合わせてディスプレイしたり、ねぎ坊主を和紙でくるんで玄関に飾ったり、とにかくあるものを使って面白がってやってくれました。

会場を借りたり、ゲストの方に交通費をお支払いしたりといった運営費は、会費だけではまかなえず、私の実家の豆腐屋から送ってもらった500枚のがんもどきを会場で販売して、一部をまかないました。

鄙のひなまつりを始めた当初、地元の人たちは自分たちの行く場ではないからと遠巻きに見ているだけの方が多かったのですが、だんだんと外から嫁いできた人たちが入ってこられて、そのうちに地元の女性6人が運営員会を結成して運営するようになりました。

スタッフとして関わってくださる地元の人が増えてきたのは、3回目、4回目ごろからでしょうか。誰かが声をかけると、声をかけた人がまた声をかけてくださって、自然と集まってくれました。舞台の設営をしたり、食材を調達したり、回を重ねるごとに自発的に取り組んでくださいました。

地元の女性たちと関わり始めてわかったことは、彼女たちは口では「こんなところ」と大森町のことを卑下しながらも、実はすごくこの土地に誇りを持っているということ。何となくいいなとは思っているのですが、具体的に表現するすべを知らなかっただけだったのかもしれません。

それを強く感じたのは、加藤エイミーさんがゲストに来てくださったときです。

シンポジウムの前に、私はエイミーさんにインスタントカメラを渡して「この町の素敵だと思ったところを撮ってきてください」ってお願いしたんですね。エイミーさんの感性だから、きっと面白いものを撮ってくださるという期待があったんです。

そして撮ってきてくださった写真をスライドにして、シンポジウムのときにスクリーンに映しながら話していただきました。それらの写真は、ちょっとした路地や野花など、エイミーさんの独特の目線で発見した、素敵な大森町の風景でした。

それを地元のある女性が、涙を流して見ていたんです。本当は私もそれを素敵だと思っていたけれど、それを素直に言う自信がなかったと。でもエイミーさんが、こんなに素敵に撮ってくれて、やっぱりそれは素敵だったんだって。外から来た人に与えられた刺激によって、町の人がまさに自分たちの足元の宝物に気づいた瞬間でした。そこから町の女性たちは、田舎に暮らす豊かさに目覚めていったような気がします。

（上）「鄙のひなまつり」最終回は、過去のゲスト全員をお招きし、いっそう盛大に開催。
（下）大森町には宝がある、外の人たちの視点が地元の女性たちに気づきを与えました。

一人一人が輝けば、町が光る

田舎社会に飛び込んで新しいことを始めるのは、勇気がいります。私もこの町に嫁いで新しいことをするたびに、周囲からはどう見られるだろうか、何か言われるだろうか、と考えましたから、そういった田舎社会の煩わしさがなかったわけではありません。

ただ私は、この町の人たちは、基本的に積極性があるとずっと思っていました。たとえば、お祭りをしても、業者が入るのではなく、町の人たちが焼き鳥を焼いたり、焼きそばをつくったり、田舎ならではのあたたかいコミュニティがあったからです。助け合おう、支え合おうという風土がありました。

私はこの町では「大吉さんの嫁さん」と言われますが、「スナヨさん（大吉さんの祖母）の孫の嫁さん」と言われることもありました。

町の中には、今生きている人だけでなく、すでに亡くなった人たちも存在しているのです。まるで幽霊がいるような話ですが、そういうこの世にいない人たちでさえ、応援してくれているのではないかと思わせる何かがある。これは地方に住んでいる人たちなら腑に落ちることでしょう。

亡くなった人の存在といえば、私たちが初めて東京の展示会に出展するために、夜行列車に乗ったときのことは忘れられません。

同じ列車に、隣町の縫製工場の社長さんと専務さんと乗り合わせました。お二人も展示会を見に行くとのことでした。そこで、私たちは初出展で右も左もわからないのに「うちの商品が売れたら、お宅で縫ってくださいよ」なんて冗談めかして話したら、その社長さんは「松場さんの言うことなら、どんな無理でもきいてあげるよ」と大真面目におっしゃる。なぜかというと、戦時中の食べ物がないときに、大吉さんのおばあさんにすごく助けられたから、その恩があるからってお話しされたんです。つくづく今の私たちがあるのは、ご先祖あってのこと。過去の人たちの恩恵をもらって、今の私たちがあるとつくづく思うのです。

よく「徳を積む」といいますが、積み重ねた徳は、将来の人につながっていくのだろうとしみじみ感じました。

最初は変わり者に見られていた私も、この10年のイベントを通して、地元の人たちと深くつながっていきました。

鄙のひなまつりの最終回、10年目の前夜祭は、大森町に完成したばかりの宿泊施設「他郷阿部家」で開催。私は「これからはイベントではなくて、この阿部家という事業を通して、この町での暮らしの豊かさを伝えていきたい」と心に決めました。阿部家がオープンしてからも、家づくりのいろいろな情報を持ってきてくれる大工さんや左官屋さん、希少なササユリを届けてくれるおじさん、こんにゃくのつくり方などをスタッフに教えてくれる奥さん、今もたくさんの地元の人たちに支えられています。

コンサートや町民元気カレンダー、鄙のひなまつり……。地元の仲間たちとは、いつもワクワクと楽しみながら思いっきり遊びました。出発点は、いつも誰かの「こんなことがしたい」という夢。一人の夢をみんなが応援することで、一人一人が輝き、そして町が光る。町ありきではなく、個人ありきであることが、町づくりの本来の姿ではないでしょうか。

２章まとめ

イベントは、楽しみながら**自分たちのできる範囲**で。

目に見える利益は追わず、**見えない財産**を得る。

地域の取り組みは、**ゆるく行う**のが長つづきのコツ。

自治体の**補助金には頼りすぎない**。

女性の意識が変わると町が変わる。

町の美しさに気がつけば、その**土地に誇り**を持つ。

持続可能にしなければならないのは、地域をよくする活動

「株式会社風と土と」代表取締役
阿部裕志さん

あべ・ひろし／愛媛県出身。京都大学大学院修了後、トヨタ自動車株式会社に入社。4年目で退社し、島根県の隠岐諸島の一つ、海士町（中ノ島）へ移住。2008年、「株式会社巡の環」を仲間と立ち上げ、行政とともに地域づくりや人材育成に取り組む。現在、島の人口の1割は移住者に。2018年、「株式会社風と土と」に社名変更。新たに出版事業を始めている。

もともとある価値を磨くとこんなにも輝く

阿部　登美さんとは、約10年前に僕が住む隠岐諸島（おきしょとう）の海士町（あまちょう）で初めてお会いしましたよね。その後、島根県の若手リーダーの育成研修会が鄙舎（ひなや）で行われて、そのときに僕は初めて「暮らす宿 他郷阿部家」に泊めていただきました。以来、親しく交流させていただいています。僕たちの扱う商品を阿部家やポイントギフトで使っていただき、ビジネスとしても大変お世話になっています。

登美　同じ方向を向いて歩いているから、どこかで出会うって感じよね。

阿部　最初に阿部家に伺ったときの感動は、よく覚えています。かつて自分はトヨタという大企業に勤めていて、人間回帰や自然回帰ということに関心が向いていましたが、阿部家はすでにそれを体現されていたんです。もともとそこにあるものに価値があ

って、その価値を磨いたら、こんなに輝くんだということを堂々と実践されていて……。といっても見せつけるわけでもなく、ただある、というあり方が僕にとっては、すごく衝撃的で。

登美　私が海士町におじゃまして、いちばん印象的だったのは、船で2、3時間もかかるところに、若い人たちがいっぱい集まっていることでしたね。当時、うちはぼちぼち若い人たちが来だした状況だったので、それがすごく羨(うらや)ましくて。だから私は帰って言ったんですよ。「大森町は不便なところだからって、マイナスに思わないで。もっと不便なところで、こんなことをしている人たちがいるのよ」って。それから阿部さんたちが、地元の人たちになじもうとサンダル履きで走り回っている姿も格好いいなと思いましたね。

阿部　実はそれはトヨタで教わったことなんです。僕は車の製造ラインをつくって現場の人たちに指示する仕事でしたが、ただ指示するだけでなく、現地のベテランの人たちと一緒に汗をかいて苦労も喜びも知らなければ、新人の僕の言うことは伝わらないことを学びました。それは島の人間でもない自分が、島の人間と一緒に汗をかきながらやっていくという話と全く同じだったんですよ。

地方では、みんなに役割がある

登美　阿部さんから見ると、海士町の価値って何だと思います？

阿部　1番目は「人」ですね。都会にいるとプロの料理人とかホテルマンとか、他人と一側面でしか出会わない。

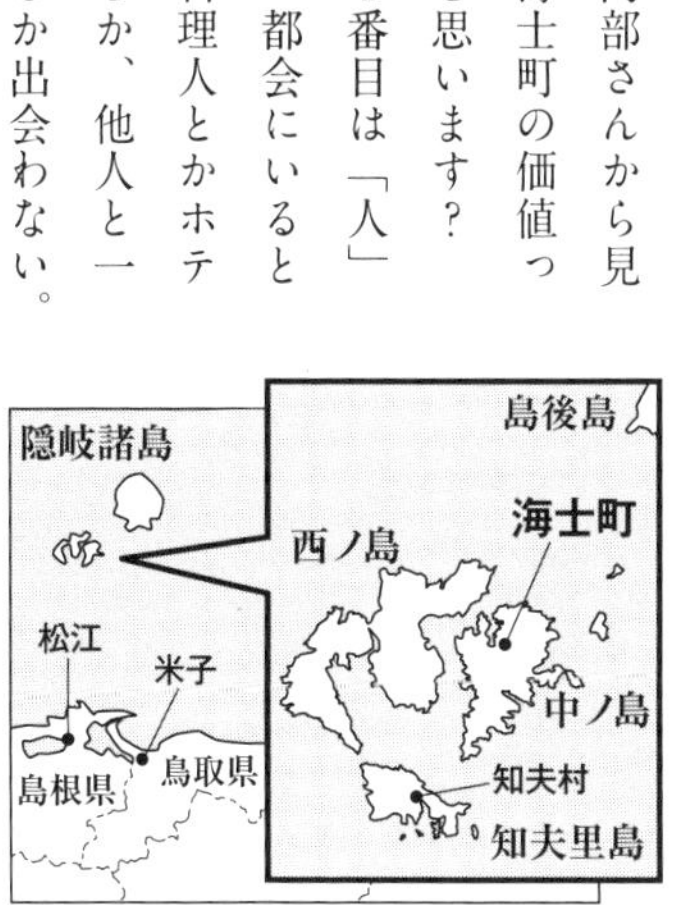

小さい島だと一人をいろいろな側面から見られて、必ず面白いところがある。また大きな家族のように、おすそ分けや助け合いといった温かい関係性がしっかり残っている。これは人間として失いたくないものです。2番目は「自然」です。素潜りや釣りをしたり、とったものを料理して食べたり、そういう暮らしをつくることが、僕にとっては最高の遊びです。

登美　確かに地方は、いろいろな役をみんなでまかなわないと回らないから、一人の人のいろいろな側面を見ることができますよね。この町に移住した写真家の藤井保さんは「僕は東京にいれば、写真家の藤井保だった」と。「でもここに来ると、いろいろな役をしないといけないから、写真家一つでは言い切れない」と、おっしゃっていました。この町の小学校も十何人しかいないから、学習発表会は一人何役もやっている。それと似たところがありますね。

阿部　それだけ出番がある。

登美　やっぱり必要とされることが人の喜びですよね。この町に来て、自分の役割がある、必要とされていると感じるときがいちばんの幸せですね。

阿部　それはありますね。自分のためというより、喜んでくれる人がいるから頑張れるし、頑張っている人が一緒に頑張ろうと言ってくれると、また頑張れます。登美さんから新たな取り組みの話を聞かせてもらうと「負けてられない」って思えます。

登美　ずっと挑戦ですよ。夫婦してそうで、夫は巳年だから、ヘビは脱皮しないと死ぬって（笑）。

阿部　登美さんは「挑戦ですよ」って、いつも楽しそうに語られますよね。僕はシリアスにとらえてしまうこともあるけれど、登美さんは楽しそう。

登美　もちろん、その渦中にいるときは苦しいとか大変とか、そういうこともあるけれど、幽体離脱ではないけれど、ちょっと俯瞰したところで自分を見てみることを楽しんだらいいと思うの。

阿部　幽体離脱って、どうやってするんですか？

登美　それはやっぱり年齢もあるわね。いろいろな経験をしてくると「あのときはこうだった」と思い浮かぶことがあるから、そうすると自分を俯瞰して見ることができるようになるんです。私も夫も１００年カレンダーを部屋に貼っているのよ。過去を振り返りながら、80歳になった自分って、どうなんだろうって未来を想像してワクワクしています。町民元気カレンダーは、もう30年もやっているけれど、これも50年つづけてアルバムをつくるのが目標。何でもやったもん勝ちだと思っているから。

阿部　最近、登美さんたちの会社経営者としてのあり方が、一段深みを帯びて見えてきているんです。というのは、これまで海士町の町づくりは行政主導でやってきましたが、今はどんどん民間主導のフェーズになってきているんですね。僕たちの会社も「町のために何でもするいい会社」から「いい会社をつくって町に貢献する」と変えていく必要がある。たぶん「投資する」というリスクを抱えないと、民間企業はチャレンジできない。

登美　もう、この町にどこまで投資したことか……。私、最近、夢を見るのよね。どんなに借金しても、借金を返さなくていい時代がくるって（笑）。

阿部　今、僕の経営者としてのいちばんのキーワードが「投資」なんです。事業に投資するし、社員にも投資する。大切なものにちゃんとお金をかけたり、人員を割いたりして、それが数年後に返ってくるようにする。そういう意味で投資家としての登美さんを見ると「その投資、すげーな」って（笑）。

登美　うちは私ばかりじゃなくて、大吉さんもそういうところは惜しまない。私たち夫婦は「非効率なことを大事にしよう」とずっと言ってきたけれど、本店の２階のスペースは本当に非効率。でも昔からいろいろなイベントをやって、人がたくさん集まる魅力的な場所になっているんです。非効率なことがすぐに収益に結びつかなくても、いずれはすごく意味のあるものになるだろうと思っていました。

阿部 それは経済的には非効率だけど、文化的には効率的かもしれません。見る軸によって効率的だったり、非効率だったり、いろいろある気がします。

登美 これからの時代は特に文化に重きをおくべきだと思いますね。でも、このバランスをとるのが非常に難しい。バランスがくずれて、もうダメかと思ったことは過去に何度もあります。でも、そういうときに大吉さんは「登美、大丈夫じゃ。うちには神風が吹くんだよ」って言うんです（笑）。それで本当に大丈夫になるの。

阿部 ある意味、信じているから、待てたり、何とかなるよね、と言えたりするんでしょうね。何とかなるのに、恐れが強くなってアタフタすると、吹くはずの神風も吹かなくなる気がします。

小さい島だからこそ地球が丸いことがわかる

登美 まあ苦しくても、地方で事業をする楽しさはありますよね。地方は「スモール」「スロー」「シンプル」。小さい世界だから、やったことの答えが見えやすいし、反応がつかみやすい。都会ほど経済的に追われないから、長いスパンで物事を考えていけるし、情報もあふれるほどではないから、自分たちに必要なものが見極めやすいですよね。この3つのSは、人間が生きていく環境としてもとてもいい。

阿部 おっしゃる通りですね。僕たちは特に島なので、ここでいろいろと完結しています。小さな島だから、縮図としての全体像が見えやすい。一人一人がどこで何を頑張っていて、僕たちの暮らしが成り立っているのか知っているから、想像力を働かせて拡大してみると、世の中のしくみがわかって大事なことが見えてきます。そういう意味で、地方で事業をするのは面白い。どこでやっても難しさはあるので、どうせ難しいなら、面白いところでやったほうがいい。

登美　私が大森町に来た40年前は過疎化、高齢化、経済が遅れている、とマイナス要素ばかりだったけれど、私は可能性がないとは全然思わなかった。むしろ自分のできる小さいところから取り組めたから幸せでした。これが周りにメーカーがいっぱいあって、情報があふれているところだったら、一歩を踏み出す勇気がなかったかもしれません。

阿部　僕は島に移住して、自分の可能性が広がった気がするんです。本領発揮度が上がった。今思うとトヨタ時代は自分の全能力の20、30％しか使っていなかった気がする。でも今は、いろいろなことをやらなきゃいけないから本領発揮度合いが１００％、１２０％！　常に昨日の自分より今日の自分のほうが可能性は広がっているし、そういう経験を積むと、他の地域でも他の企業でも誰とでも仕事ができるようになります。といっても、一歩目は常に不安です。

登美　そこは「覚悟」だと思う。覚悟は、自分の心の迷いを払拭するために必要なんですね。だから私はこの町に来たときに、私はここで自分の生涯を終えるんだという覚悟をしたとたん、いろいろな可能性が見えてきて、スタートが切れたんです。

阿部　僕はそれを覚悟とも言うし、「決める」とも言います。僕は優柔不断で弱い人間なので、決め方を決めたんです。それは「死ぬときに後悔しないほうを選ぶ」ということ。すると失敗しても、それほどダメージは感じないんです。

登美　自分の人生を何にかけるか、自分の心がどこに向いているのか、そういうことを問いかけながら方向性を決めていくことが、生きるということですよね。でも私は、何かしら自分の求めているものに近づいているのは確かね。だって、ここで暮らしていて毎日、毎日、感謝だから。

地域のためって誰のため？

登美　これから「持続可能」な町をつくるためには、「美しい循環」をつくることが大事だと思っています。いつかあなたが「消費は未来への投票である。ファーストフードで100円使うよりも、近くのおばちゃんの店で100円のおむすびを買いたい」と言っていたでしょう。そういうお金の循環は大切ですよね。

阿部　投票が集まったところが最終的に残りますよね。残りたいから美しくなるんじゃなくて、美しいから残る。そういう順番を登美さんは大切にしていらっしゃるから。うちの会社も理念として「持続可能な地域」を掲げていましたが、最近わかってきたことは、持続可能な地域をつくるのではなくて、地域をよくする活動を持続可能にすることが、僕の追い求めていることなんだなって。だから今、次の世代、その次の世代につなげるために、どういう仕掛けをするかということを真剣に考えています。

登美　私は持続可能なＤＮＡを残していきたい。それは目にも見えないし、形もなくて、そのへんを漂っているけれど、そういうものを感じる人たちがいてくれて、それが次につながって残っていくんじゃないかと思っている。

阿部　島では14歳のときに立志を述べる「立春式」をやっているんですが、ある女の子が「私の将来なりたい姿は、今の海士町の大人たちです」って語ってくれたことがありました。僕たちが頑張っていれば、見ている人は見ているし、登美さんのおっしゃるＤＮＡが漂っていて、キャッチする人はキャッチするようになっているのかなと思います。

登美　最近、私はよく「暮らしを見直す時代」と言っているけれど、それは個々人の生活意識の問題で、国や大企業が変えられるわけではない。そういった意識が高まって社会現象となって大きく変化するときって、必ず地方から始まると思うの。

阿部　自分たちの未来を自分たちで考えることは重要ですよね。それを僕たちは「知の自立」と言っていますが、そのために出版事業を始めて、著者にこの島に「関係人口」（地域と多様に関わる人々）として関わってもらっています。出版を機に、海士町に新しい知恵や情報が集まれば、ここに面白い人がどんどん集まって地域の知が熟成していく。これが、知の自立に向かうだろうと感じています。

登美　阿部さんもそうだけど、一人一人の中には、すごく可能性が潜んでいます。足元の宝というけれど、いちばんの足元は自分自身。自分の中の可能性に目覚めて、自分がどう生きたいのか、どうありたいのか、そういうことを一人一人深めていけば、地域の創造力につながると思いますね。

阿部　僕は「地域のためにやりたい」とやっていたからこそ「地域のためって誰のため？」というドツボにはまった時期がありました。誰のためでもなく、ちゃんと自分の足元をかためてやれることをやらないと、長くつづかないですよね。僕が移住者だから思うことですが、そこにある宝物の価値に気づくには、必ず中の人間と外の人間が必要なんです。社名の「風と土と」も、「風の人」というよそものと「土の人」という地元の人がともに風土をつくっていこうという思いでつけたものですが、中の人だけだと当たり前すぎて気づかないし、外の人だけだと何があるかわからない。そこが織り交ざりながら一緒につくっていくことは、すごく楽しいし、可能性も広がる。だから地方に関わる人が増えるのは、すごく価値のあることだと思います。

第３章

経済49％、文化51％

非効率なことを大切に

大森町に初めて店をかまえてから30年以上、町を舞台に遊びながら事業を行ってきた私たちが一貫して重視していたことは、「非効率を大切にしよう」ということでした。非効率なことは経済性に劣るように見えますが、経済性を優先させるあまり、文化的な魅力や地域独特の個性をなくし、魅力をなくしてその結果、経済性も失いかねません。

とはいえ、非効率なことばかりして採算が合わなければ、事業は継続できません。そもそも世の中に必要とされなければ、事業として成り立ちませんので、常に世相を読みながら時代性をとらえて、その内容を柔軟に変えていく必要があります。雇用の責任もありますので、事業をする以上、経済性をないがしろにするわけにはいきません。

経済性と非効率、そのさじかげんが難しいところですが、私たちのものさしは「経済49％、文化51％」というバランスを持つということです。経済より文化が勝る1

％の差は理念。高い志があれば、経済が文化を壊すことはない。私たちの会社が片田舎で生き残ってこられたのは、この文化優先の理念を守ってきたからです。

一つ一つていねいに手づくりするブラハウスのものづくりも、実に非効率なものでした。当初、この素朴なものづくりを支えてくれたのは、地元の女性たちでした。ブラハウスの店ができてからは、商品展開がだんだんと広がり、私一人の作業では追いつかなくなってきました。そこで近所の女性たちに手縫いのアップリケや刺繍をしてもらったり、袋を縫ってもらったり、内職をお願いするようになりました。山陰の人は、すごく器用で真面目。どの商品も、とてもていねいに仕上げてくださいました。

内職さんはどんどん増えて、多いときは１００人をこえるほど。ほとんどが大田市内の女性でした。その多くが、若くても子どもの世話やお年寄りの介護で勤めに出られないとか、年をとって働く場がないとか、そもそもパートに出たくても働き口がないといった方たち。そういう方たちが、ブラハウスの内職で現金収入を得るようになりました。

あるおばあちゃんのグループは、お金を貯めては、みんなで温泉に行っていたそうです。おふろに入ったときに内職でできたタコを見せ合って、大笑いしたって。

あるおばあちゃんは、菊の花を育てるのが趣味。ずっとおじいちゃんの収入で趣味を楽しむことを心苦しく思っていたけれど、内職で稼げるようになったから、何の遠慮もなく思う存分できるようになったとか。若いころからイギリスに留学するのが夢だったという奥さんは内職でお金を貯めて、イギリスに行ってきたそうです。

みなさんの夢が叶ったという話をたくさん聞かせてもらうことは、私の喜びにもなりました。

そういった内職さんを20～30人ずつまとめてくださるリーダーの方がいましたので、私たちはその方に商品のつくり方を説明したり、受け渡しをしたりといったことをしていました。それぞれのリーダーさんの家に集まって話をするのも楽しかったし、一緒に食事をしたりお茶をしたりといった交流をするのも、すごく楽しかったですね。

当時、ブラハウスのエプロンは、料理教室や学校のお手伝いで集まるお母さんのほとんどがつけているというぐらい人気がありました。

エプロンの生産は軌道にのり、主力商品となりました。都会のデパートでも販売されているわけですから、内職さんが都会に住む親戚や友人から、あなたのつくったブラハウスの商品をデパートで見たわよ、と言われることもあったようで、彼女たちの励みとなり、誇りを持ってやってくださっていましたね。

地方でも仕事があれば、わざわざ都会に行かなくても、ここで豊かに暮らしていけるのではないか。このときにおぼろげに感じた気持ちは、のちにタイのチェンマイを旅したときに確信に変わりました。

田舎で経済的に自立するために

チェンマイに行ったのは、ちょうどブラハウスから群言堂へブランドが移り変わるとき。

ものづくりの方向性を模索する中で、あるイベントでチェンマイに暮らす染色家の瀧澤久仁子さんの作品に出合いました。一瞬で引き込まれる美しい色やデザイン。手つむぎの糸を天然の染料で染めたものづくりは、まさに私の憧れの仕事でした。

そんな瀧澤さんがものづくりをされているタイとはどんなところだろうか、ぜひ行ってみたいと思い、その3週間後、私はタイへ飛び立っていました。

友人のインドの刺し子、カンタ刺繍作家の望月真理さんからは、タイに行くならぜひチェンマイの「バン・ライ・パイ・ガーム（美しい竹の村）」に行きなさいと言われていました。そこは伝説的な機織りの女性がいた、ものづくりの工房だからって。

そして私は、チェンマイ市街から車で1時間ほどの、その美しい竹の村に行きました。竹のアーチをくぐると、高床式のタイの古民家があり、床下には草木染めの材料が山ほど積んであります。そのそばで、女性たちが糸をつむぎ、布を織っています。パタンパタンと機織りの音が響く、その美しい光景に、私はただただ感動していました。

そこで一冊の本をいただきました。著者は、この工房の創始者であるセンダー・パンシットさん。チェンマイの農村地帯の人は都会に出稼ぎにいくけれど、みんなで力を合わせてものづくりをすれば、ここでも生きていける。センダーさんは工房をつくり、地元の女性たちを集めて、自分のおばあちゃんから習った染色や機織りを教えて経済的な自立を支えたそうです。この工房こそが「美しい竹の村」で、やがて王室にも評価されるようになったと書いてありました。

これを読んで、私はブラハウスの内職さんのことを思い出しました。みんな都会、都会って田舎から出ていくけれど、田舎でものづくりをすれば、ここでも暮らしていける。美しい竹の村そのものも素敵でしたが、私はむしろこの工房をつくったセンダーさんの考え方に共感して、私もやはり大森町でものづくりをしよう、事業をしていこうと気持ちを新たにしました。

大量生産・大量消費に背を向ける

ブラハウスの商品は、ブームと言ってもいいぐらいよく売れていましたが、私たちは1994年に京都のギャラリーで展示会を行ったのを最後に、ブランドはブラハウスから群言堂に大きく舵を切りました。創業から12年後のことでした。

そのときの展示会には、まだまだ全国からお客さまがいらして注文もいただいていたのに、展示会が終わったあとに大吉さんは「もうブラハウスは終わったな」とポツリ。そのときは売れていましたから、夫がなぜそう言ったのか私には、まだ理解できませんでした。

大きな理由は二つ。一つは時代が変わり始めていたということです。カントリーブームが終わりに近づき、お客さまの関心も離れ始めていました。

もう一つは、中国で同じようなコピー商品がつくられて、安く出始めてきたこと。あるとき、私でさえわからないようなそっくりな商品が、ある店のパンフレットに出ていました。お得意さまからの問い合わせで初めて知り、くわしく調べてみると生地からデザインから、すべて私たちの真似をして中国でつくったものが、私たちのお得意さまのところにもいくようになっていたのです。

ブラハウスから群言堂への移行は、夫もただ勘とか嗅覚といったことしか言っていませんでした。ただ、あのままブラハウスをつづけていたら、今の私たちが望む会社経営ができていたかどうかわかりません。

夫は常々「商売は運と勘と度胸だ」と言っていますが、このときの危機を乗り越えられたのは、やはり彼のそういった直感が大きかったのかもしれません。

ブラハウスをやめて、新しいブランドを立ち上げよう。方向転換のときがやってきました。当時、私は40歳を過ぎていました。子育てが一段落し、自分のためにおしゃれをしたいと思ったときに、着たい服がない。ならば、自分がデザインしてつくろう、自分が着たいと思う服をつくってみようと思ったのです。生地からオリジナルでつくれば、魅力あるものづくりができるのではないかという考えもありました。新しいブランドの名前は「群言堂」と決まりました。

実は、服づくりには原体験があります。それは私が20歳のとき。自分で初めてデザインした服を着て、成人式に出席したのです。当時、成人式といえば一般的に、親が娘のために振袖を用意したものですが、私は大人になるのだから、自分が働いたお金で自分がデザインした服を着ていこうと決めました。

当時、勤めていた画材店の斜め向かいには、パリ帰りの素敵なお姉さんがやっている洋品店がありました。私は生まれて初めて自分で描いた服のデザイン画を、その洋品店に持っていき、生地を選びました。選んだのは、オフホワイトと茶とグレーの大きな千鳥格子のような織りのもの。洋裁学校に通っていた同僚にワンピースとショールを縫ってもらい、成人式にはその服を着て出ました。自分の着たい服をつくるという発想は、このころからあったのかもしれません。社会の常識にそむき、自分のいいと思うことを貫いたことも、今の私の生き方に通じるところがある気がします。

群言堂に話を戻しましょう。群言堂が誕生したのは、バブル崩壊後の１９９４年。しかし、バブルがはじけたあとも「よいものは都会や海外にある。新しいことはよいこと」といった価値観は残り、大量生産・大量消費の時代の流れの中で、古きよきものや昔からある景観は、ためらいなく壊されていきました。

果たしてこれが本当の豊かさなのだろうか、私たちが疑問を持ち始めたときに、大森町で一軒の小さな古民家に出合いました。そこは長年、あるおばあちゃんが一人で住んでいらっしゃった家。私たちはここを改修し、電気もガスも水道も引かない、文明を排除した家をつくりました。「無邪く庵（むじゃくあん）」と名づけたこの家で、和ろうそくをともし、小川のせせらぎ、山からの風を感じながら過ごしていると、五感が研ぎ澄まされていくのがわかります。大吉さんはここにいると不思議なほどアイデアがわくのだと言います。

そこに毎晩のように集まって、お酒を飲みながらワイワイ話す私たちを見て、当時、松場家にホームステイしていた中国の留学生の姚（ヤオ） 和平（ワヘイ）さんが群言堂という言

文明を排した「無邪く庵」。ここから「群言堂」ブランドが誕生しました。

葉を教えてくれました。群言堂とは、みんなが目線を同じ高さにして、好きなことを言い合いながら、いい流れをつくるという意味。そこから「群言堂」というブランド名がつきました。そして群言堂の世界観もまた、この文明を排した家、つまり徹底的に引き算した空間の中から生まれてきたのです。

群言堂で私がつくりたかったのは、体が楽で、着ていて自由を感じられる服。明治維新以降、日本の女性は西洋の服を着るようになりましたが、私はやはりその国の女性がいちばん美しく見えるのは、その国の民族衣装だと思っています。

日本人なら着物。着物はおはしょり一つで、自分の身長に合わせられる融通のきく衣装です。逆に西洋の服は体を矯正して美しく着ますが、私は着物のようにまとうように着られるものがつくりたかったのです。

以前、昭和のくらし博物館館長の小泉和子先生とのトークショーで、先生が「登美さんは、初めて日本人の女性のために服をつくった人なのよ」と言ってくださったことがあります。お世辞かもしれないけれど、大いに勇気づけられましたね。

ウエストがゴムのパンツや、ストンと着られるワンピースなどをつくりましたが、当初はもんぺみたいでダサいとか、ベルトがないなんてファッショナブルじゃない、なんてずいぶん酷評されました。

でも今ではそういう服も当たり前になりましたよね。群言堂の服は「見て楽、着て楽、心が元気」がコンセプト。服を着ることで気持ちが元気になるという「服薬」という考え方があるのです。

都会と同じ土俵には上がらない

私たちが群言堂を立ち上げたときに決めたことは「都会のメーカーと同じ土俵に上がらない」ということです。そこに上がってしまったら、私たちはいとも簡単に負けてしまう存在。ですから自分たちの土俵をつくることを第一に考えました。これは地方でブランドを立ち上げるときには、大切な考えではないでしょうか。

その中心にあるのが「復古創新（ふっこそうしん）」という考え方です。これは、今は亡き、広島工業大学名誉教授だった大脇健一さんからいただいた言葉。復古創新とは、過去から本質を理解して、未来のあるべき姿に向かって創造していく行動や考え方です。

私たちは「ものを残さないと職人さんも技術も残らない」とずっと言いつづけています。新潟のマンガン絣や広島の備後絣など、日本各地の産地でつくられる素材には、それぞれの気候風土で培われた独特の味わいがあります。しかしマンガン絣をつくっているところは、もうたった1社で、1人の職人さんしかいません。備後絣も昔は数百社もあったのに、今は数えるほどしか製造していません。そこで私たちは、それらの産地ととり組んで群言堂オリジナルの生地をつくっています。

また群言堂の店舗も、壁は左官職人さんに塗り壁にしてもらい、ディスプレイや什器にも古いタンスや古板を使っています。

利益を追求すれば、昔からつづくよきものは切り捨てられてしまいますが、私たちが価値を再確認して復活させることで未来に残していくことができます。

今から17年ほど前、国際交流基金からインド、ブータンへ、町づくり専門家の一員として派遣されたときのことです。訪れた先で、いちばん印象に残ったことは、ブータンの観光政策「ハイバリュー・ローインパクト」。高い価値を持つことで、自然環境や文化環境への衝撃を抑えるという賢明な対策です。それは、私のものづくりにも生かされています。私が目指すものづくりは、決して高級品ではありませんが、いかに安価におさえるかより、いかに質のよいものをつくれるか、ということなのです。

市場には、もっと安くておしゃれなものがたくさん出回っていますが、あえて群言堂を選んでくださる方は、そういう背景にある私たちの考え方に共感してくださっているのではないかと思っています。

群言堂の考え方は、商品やディスプレイだけでなく、包装紙や紙袋などのパッケージにもあらわれています。

包装紙は、芋判でつくった「水の華」と呼ばれる海の微生物をイメージしたデザイン。水中の微生物が光合成によって地球上の酸素をつくり、また地表の二酸化炭素を減らす役割も担っていて、海の食物連鎖の基になっていると言われています。そういう循環こそ理想という考え方が、この包装紙に表現されています。

実はこの包装紙、裏に「徒然四方山新聞」という新聞のような記事が印刷されたものもあります。「設立三十周年への想い」とか「大吉つぁんのお遍路結願」とか、群言堂にまつわるできごとを自分で全部書いているのです。

包装紙というのは、昔はブックカバーにしたり、おすそわけを包むのに使ったり

飲み忘れをふせぐ薬はない？

「現代人は命より健康が大事」と皮肉った友人がいる。サプリメントのコマーシャルやDMを見るたびにこのセリフを思い出し過剰な健康志向に反発してきた登美だった。

しかし、このところのもの忘れに不安を感じ「脳にも栄養」というキャッチコピーにまんまと乗っかって、記憶力向上サプリメントを購入してしまった。

問題は飲み忘れである。定期購入を断る電話を入れた際、「飲み忘れをふせぐ薬はないですかねー」と真面目に聞く登美に、オペレーターのお姉さん「？・？・？」

思い込みは恐ろしい

出勤しようと裏出口を出たら、スズメバチが数匹飛んでいた。やばい、と家の中に駆け込みしばらく様子をみた。

いなくなった様子なので外に出たら、慌てて放り投げてしまっていたカバンの中でハチがブンブンうなっている。しかもすごい羽音だ。相当興奮している様子である。

殺虫スプレー片手にドキドキしながら、恐々カバンの中のものを一つずつ取り出した。うなっていたのは、放り投げた勢いでスイッチがオンになっていた電動ハブラシだった。

ようこそみなさん

先日、大森小学校の一・二年生のみなさんが社会学習の一環として弊社を企業訪問してくださいました。

玄関のウェルカムボードを見てクスッと笑ってしまいました。みなさんと言っても一・二年は複式学級でそれぞれ一人ずつしかいない、二人だけのクラスです。

一年生の松場公汰は私の孫です。一人だけだから成績はいつも一番だねと言うと、ビリという解釈もあるよねと娘が笑います。どちらにしても競わないほのぼのとした環境の中でどんな個性が育まれるのか楽しみです。

ようこそ
お越しくださいました
大森小学校
1・2年生のみなさん

松場家の孫の二人を含めこの一年で七人の赤ちゃんが誕生しました。いくら高齢出産ありきの時代と言えども、これは驚異的な出八人にも増え、待機児童が出そうなほどに。松場家の孫も三女がもう一人、次女が双子を生んで総勢八人と賑やかになりました！

書籍『ぐんげんどう』

弊社が創業二十五年を迎えるころから、書籍の出版を考えはじめていた。

当初は売り物というより社内向け、つまり、創業者としてこの会社がどんな想いでどう作られたのかを、社歴を含めて記録して、後々まで社員に伝えたいというところからはじまった。しかし小さな火種が人の出会いによって思わぬ形となった。

まずは、商業写真の大御所である写真家の藤井保さんの「私が写真を撮りましょう」からはじまり、「本のデザインは、仕事仲間の佐藤卓さんに—」と予想外の超一流揃いという展開となった。

私達は極（ごく）稀（まれ）に、天から下りてきたような希有な出来事に恵まれることがある。

本は、大吉つぁんの語り下ろしの『経（たて）』と、藤井保さんの写真集の『緯（よこ）』との二冊で一組となっている。

大吉つぁんは最近まで往生際悪く「あんな話を本にしてよかったのか」と言っていたが、いよいよ観念したのか「そうだ、藤井保さんのすばらしい写真集に、私の語り下ろしがおまけでついているというのはどうだ」という逃げ口上を考え出した。

当然のことながら、長年連れ添った夫と言えども本心は計りかねることも間々ある。『経（たて）』の中には、私が知らなかった大吉つぁんの本音が語られている。心の奥に潜んでいた、大吉つぁんの人となりを再認識することとなった。

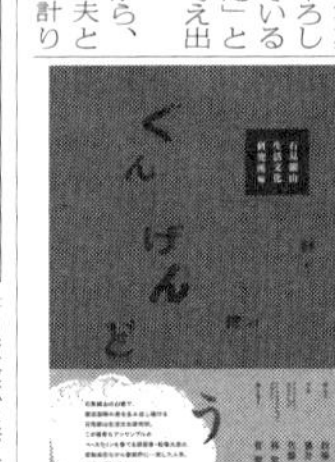

ライターの菅聖子さんとはもう十数年来のお付き合いである。大吉つぁんは彼女には気を許して本音を語ったに違いない。ある本音の件（くだり）には、鬼の登美さんと呼ばれる私でさえも読むたびに涙する個所がある。鬼の目にも涙である。

読者の覗き見的、欲望が満たされることは間違いないと確信する。

Youth, Nature and Lifestyle in the Countryside

三浦編集

記事より

さしみ醤油を知っていますか

「さしみ醤油」と聞いて何を思い浮かべるだろうか。多くの方がちょっと濃いめの、お刺身専用のお醤油を想像すると思う。特に山陰地方の方は、あの濃くて甘いさしみ醤油を思い浮かべていることだろう。どちらも間違いではない。しかし先ころ、さしみ醤油にまつわる面白い話を聞いたのでご披露したい。

ある日、平田の木綿街道をワイフとぶらぶらしていると後ろから男性が話しかけてきた。聞くと、すぐ向かいの醤油屋のご主人だという。「ちょっと醤油のテイスティングしてみませんか」というあからさまな営業トークに乗って店内へ入ることになった。小皿に注がれた何種類かの醤油にパンの切れ端を浸けてそれぞれの味見をする。その中で色が濃く、味や香りも豊かなある醤油が気になった。それが、その醤油屋で作っている「さしみ醤油」だった。

「ところで」醤油屋が言った。「【さしみ醤油】が【刺身醤油】じゃないって知っていますか？」「いいや知りませ

徒然四方山新聞

群言堂

発行所
株式会社 石見銀山生活文化研究所
〒694-0305
島根県大田市大森町ハ183
電話0854-89-0131
http://www.gungendo.co.jp/

設立三十周年への想い

未だ道半ば…

今年五月をもって、弊社は設立三十周年を迎える。俗に山あり谷ありと言うが、谷あり谷あり、更に深い谷あ

流行に遠い場所で産声を上げたのだった。私の記憶の限りでは、当時、未だ携帯電話はなかった、インター

ら徹底的に一貫した人生。〃逆行小船〃の後ろに大船団の続く日は近い。」

なんと頼もしい言葉だ

会社設立三十周年を迎え、今まで支えて頂

思うことは、「初心忘るべからず」です。これは

私は「老後の初心」に差し掛かりましたが、事業は常に持続性を求めていかなければなりません。前進し、挑戦する力となるのは人財です。大切なのは機械でもAIでもない、人間力です。これからも社員と一丸となって、お客様の感動の価値創り

元年

り資金不足で本格的な葺き替えができなかった。当時書いた文章の中に「とりあえずの仕事は後でつけが回ってくる」と書いたことを思い出す。

今回は三度目の正直、たくさんの方々からのご支援の下、念願叶ってやっと本格的な葺き替えができることになった。きちんと葺き替えをすれば三十年はもつという。

「三十年かぁ。次の葺き替えは見ることはないなぁ」と大吉つぁん。三十年先となると大吉

人、三十代中心でなんと二十代の人まで。なんと頼もしいことだろう。物を残さなければ技術も残らない、職人も育たないと言い続けてきた私達にとって、これ以上の喜びはない。次世代は、音もなくすくすくと育っていたのである。

さて、世間は人工知

包装紙の裏に印刷した「徒然四方山新聞」。記事はすべて自分で執筆。

徒然四方山新聞

2018年（平成30年）3月吉日

げることなく、夢を語り、理想を追い続けて来られた。なんと能天気な経営者であっただろうと反省するとともに、この幸運に感謝したい。そんな私たちを、友人が当時話題の映画「塀の中の懲りない面々」から「山の中の懲りない面々」と例え、ともに笑ったことを思い出す。

鉱山町の閉山後は、どこも急激に疲弊してゆく。御多分に漏れず、石見銀山も衰退の一途をたどっていた。一方、世間はバブル経済全盛期。思えば、最も経済や

社会を変えることは不可能と思いつつも、何かしら小さなことからでも社会に影響を与えるような仕事がしたいという強い思いだけは、七転八倒するような会社人生の中でも、変わることなく根っこにあり続けていたように思う。

夫・大吉の語り下ろしの本「ぐんげんどう」の帯に藻谷浩介さんがこんな言葉を寄せてくださった。

「この稀有なアンサンブルのベースラインを奏でる経営者・松場大吉の、変転自在なが

にして惑わず…」とある。三十にして立つとは、三十歳で自分の精神の立場を確立するということを意味するらしい。果たして弊社が三十にしてその確立をできているかというといささか心許ないが、大吉の言う文化 51%、経済 49%の考え方こそが、三十年かけて培ってきた「精神の立場」かもしれない。

孔子の「四十にして惑わず」のごとく、十年後には悟りが開け、事業の在り方に疑いを抱くことなく邁進していきたいものである。

松場登美

時代のスピードにあえて背を向け〔て〕、不安定極まりない」と重々承知の上で、舳先を小さな清流に向けて漕ぎ始めました。水は澄み渡り、小魚たちは元気に泳ぎ、経済の手が入っていない川岸は、ありのままの美しさを保っています。しかし自然の恐ろしさをも秘めたその流れは、時に激流となり、何度も船を無情にも押し流していきました。それでも私たちは、終わりなき旅路の果てに桃源郷へ辿り着きたいと、諦めずに船を漕ぎ続けてきました。

三十年が経ち改めて

時々（じじ）の初心忘るべからず。老後の初心忘るべからず」と、人生の中にいくつもの「初心」があると説いています。一時的な成功や勝利を収めたときこそ、それが行く手を阻む壁となり得ます。そのようなものは、一時的な「花」に過ぎないのです。あたかも道を極めたかの様な心情こそが、あさましきことなのです。改めて自分の未熟さに気付き、周囲の人の言葉を謙虚に聞き入れなければ、桃源郷に咲く真実の「花」を見ることは叶わないでしょう。

み保存運動の歴史とも重なります。わずか四百人程度の小さな町で、コツコツと積み重ねてきた景観保存事業が、今では類あって比なし、独特な歴史と文化を醸し出す、日本の新しい環境価値になってきました。私たちはこれからもこの町の環境価値を守り、次世代に継承し、共に歩み続ける創造集団でありたいと考えています。そして私自身は、この先の旅路でも驕ることなく、媚びずに、ぶれない人生観を伝えていく所存です。

松場大吉

十軒目の古民家再生
『只今 加藤家』

何に突き動かされてか、とうとう町内に十軒目の古民家再生をした。阿部家から徒歩六分ほど下った場所にある、江戸時代末期に建てられた武家屋敷「加藤家」である。

加藤家は、都会生まれで帰る田舎のない人、田舎はあっても家はなくなってしまった人のための〝ふるさと実家づくり事業〟として、一棟貸しの宿にしようと考えている。

他郷阿部家もしかり、再生した古民家は元の持ち主の名字で呼ぶようにしているが、加藤家の呼び名は『只今 加藤家』にした。

経済発展の時代を生きてきた私達世代は、物質的な豊かさは手に入れたが、同時に、加速する発展スピードに違和感を覚え始めた人も少なくなかったと思う。

そして今、物に囲まれた豊かさよりも、シンプルに少しの物を工夫しながら丁寧に暮らすことの大切さに多くの人が気付き、人間は戻るべき所に回帰し始めているように感じる。

そんな時代において『只今 加藤家』は、「ただいま」といつでも帰って来られる、ひと昔前のふるさとの実家のようでありたい。

旅人であっても、滞在中はまるで大森町の住民であるかのように、この町の暮らしに溶け込むように過ごしてほしいと思う。

そして、たとえこの町の人口が減ったとしても、この町をふるさとのように思って訪ねてくれる人を増やしていきたい。

只、今を生きていることへの喜びや感謝の気持ちが、自然と湧き出てくるような場所に―

それが、加藤家事業の願いである。

鄙

設立三十周年に先駆けて行った鄙舎の茅の葺き替えは、会社にとっても新たな一歩を踏み出す元年とも言えるだろう。

初めは稲藁などを混ぜて葺いた二十年前。傷みが激しくなって十五年前に二度目の葺き替えを行ったが、やは

しかしこのところ寄る年波には勝てず、固くなった足腰、邪魔になる出っ腹、自分の靴ひもを結ぶのさえおぼつかない。四才年上の姉さん女房の私に「歳は追いつけないけど老いは追いつけたなぁ」と笑う大吉つぁん。笑点なら座布団一枚程度のギャグだが、私には大ウケ。

この度の葺き替えで嬉しかったことは職人さんが全員若いということ。四十代前半が一

だましだまし

一般的にはだますには悪い印象しかありませんが、だましだましになると時に好都合のこともあります。難題が降りかかった時、四角四面に受け止めると辛くなりますが、だましだましその場を切り抜ければ、また道は開けてくるものです。

まして夫婦はだましだまし付き合ってこそ長年連れ添えるのではないかと…

狛狐の頭の上に木の葉を乗せてみたら微笑ましくなりました。

大吉つぁんのお遍路結願

あれは大吉つぁんが四十二歳の厄年を迎える直前のことだった。四国八十八ヶ所巡りのお遍路さんに出かけてくると突然言い出した。「何があったのですか？」と怪訝そうに尋ねる友人達に「そういう心境になったんじゃないですか」と答えるしかない私だった。

あれから十八年、六十一歳の本厄を目前に八十八ヶ所を巡り終え念願の最終地点、高野山は奥の院に一〇〇枚の般若心経の写経を納めるためにお盆休みを利用して出かけて行った。出かける直前になって、黙々と写経に励むその姿は、夏休み終盤、宿題に追われる小学生のようだった。

十八年もあったのに何を今更と思わないでもなかったが、いつものらりくらり、やる気がないのかと思わせといて、突如、脱兎のごとくやることやって辻褄をあわせる、これが大吉流である。

十年ほど前のことだろうか、ある高僧から「奥の院には、貴方を待っている人がいる」と伝えられ、ことあるごとに「誰か私を待っているらしいんだ」と話題にしては、楽しみにしていた大吉つぁんである。そしていつも「登美が先回りして待っていたら怒るぞ

するために、ていねいにとっておいたものですが、今はすぐに捨てられてしまいます。捨てられないようにするための私たちなりの工夫ですが、裏をびっしりと埋めた文字を見たお客さまからは、隙あらば発信していると言われています（笑）。

クラフト紙の紙袋の表面には、隣町の福祉施設の人たちが一枚ずつ手でちぎった包装紙が貼ってありますが、手でちぎるので、二つと同じものはありません。自然界には二つと同じものはないというメッセージを込めています。ご自宅で紙袋を見たときに気づいていただけるとうれしいですね。

紙袋といえば、高校時代に所属していた美術部で、文化祭のときに「世界でただ一つ、あなただけのペーパーバッグ」という看板を立てて紙袋屋さんを開いたことがあります。色画用紙でいろいろな色の袋をつくり、袋に買ってくださった方の似顔絵を描いたり、横文字で名前を書いたり、みんながこぞって買い求めました。あるときバス停に立っていたら、その紙袋を持っている人が前を通って、すごく感激しました。今も出先で群言堂の服を着ている人を見つけると、つい声を掛けたくなってしまいますが、そのたびにあのときの感覚を思い出します。

何か自分なりに工夫して、人を喜ばせたいとか、びっくりさせたいといった気持ちは私の中で若いころからあったのでしょうね。

地域に積極的に関わっていく事業の姿勢は、ブラハウス時代から変わりません。群言堂の「里山からの贈りもの」と名づけたポイントギフトサービスは、最も多く貯めると阿部家のペア宿泊券ですが、貯めたポイント数に応じて、群言堂の商品のほか、出雲神結米（いずもかみむすびまい）や奥出雲のぶどうジュース、海士町の海産物など島根を感じられる品物と交換していただけます。

群言堂だけでなく、私たちと志を同じくする地元の会社の商品も選べるこのサービスは、お客さまに大変喜んでいただいています。

また群言堂で販売している「We are here Tシャツ」は、大森町の子どもたちを支える「We are here」プロジェクトの一つとして、売り上げの一部が大森町の子育て支援サークル「森のどんぐりくらぶ」の活動支援として寄付されるしくみになっています。

このプロジェクトは10年以上前、次女の由紀子が大森町で唯一の保育園「大森さくら保育園」の存続のために立ち上げたもの。Tシャツの売り上げは、保育園に寄付されていました。しかしその後、Iターンで移住する家族が増えて、当時たった

2人だった園児が、今はなんと25名に。待機児童が出るかもしれないとささやかれたこともありました。そして保育園は国の基準を満たす認可保育園となりました。

しかし、親族と離れて暮らすIターンの家族には、子育てを相談する人や共働き夫婦を手助けする人がいません。今では5人の子を持つ三女の奈緒子は、3人目の子どもを妊娠中に保育士の資格をとり、子育て支援サークル「森のどんぐりくらぶ」を立ち上げて、大森町のお母さんのコミュニティづくりや子どもの放課後の居場所づくりを始めました。群言堂の支援金は、保育園からこの子育てサークルにうつりました。

それをご存じのお客さまは、孫にTシャツを買うなら、このTシャツを買ってあげたいわ、と選んでくださっています。

道心の中に衣食あり、衣食の中に道心なし

群言堂が誕生してから私はずっと服をデザインしてきましたが、私が本当にデザインしたいのは、暮らし方でした。極端に言えば、生き方です。そこで群言堂のコ

ンセプトである「復古創新」を実践する場としてつくったのが、築232年の武家屋敷を再生させた宿「他郷阿部家」です。

私たちは大森町にブラハウスの店舗をつくったときから、人の集まる場所づくりをしてきたように思えます。他郷阿部家の「他郷」は、中国の古語からの由来で、もう一つの故郷という意味。ここを訪れた方が、故郷に帰ってきたときのようにくつろいでほしいという願いを込めて名づけました。

阿部家は、もともとあった立派なおくどさんを台所の中心に据えたり、廃校になった小学校の床材を書斎の床に使ったりと、古いものに遊び心をくわえて新しい世界観をつくっています。食事は私もお客さまたちとご一緒させていただき、新たに生まれる出会いを楽しんでいます。

阿部家はスペースの都合上、お泊まりになれるお客様は2組までと限られます。私は、旅は非日常よりも、上質な日常と言っています。このあたりでは安くはない宿泊料ですが、ある程度の質を保つためにはスタッフの人数も必要で、どう考えても採算が合わない。それは最初からわかっていました。島根には温泉地がたくさんありますが、ここは温泉があるわけではありません。それなのに、あえて阿部家に泊まってくださるお客さまがいらっしゃるのだろうか……。

思い悩んでいたときに、私の姉が最澄の「道心の中に衣食あり、衣食の中に道心なし」という言葉を教えてくれました。道心とは、仏教を学び、悟りをもとめる心、衣食とは衣食住の生活環境のことです。

つまり、悟りを求める心があれば、おのずと衣食住はそろうけれど、衣食住を求めるなら、悟りを求める心は生まれてこない。そこから姉は、志を持てば食べ物には困らないけれど、食べること、つまり経済を中心にすると道を失うよ、と教えてくれました。ならば私は、心の求めるところをやってみようと決意したのです。

「非効率なことを大切にしよう」

私たちはそれを合言葉に事業をしてきましたが、振り返ってみると、分不相応にお金をかけて古民家を改修したり、流行に背を向けたものづくりをしたり、いつも経営的には厳しい状況でした。

それでも経済よりも文化優先の姿勢をくずすことなく、経済49％、文化51％というバランスをギリギリ保ってきたのは、私たちが常に「利益」ではなく「美」をものさしに物事を判断してきたからです。

私たちの考える「美」は、受け継いだ歴史に手を入れることで生まれる美しさや、足元の宝を暮らしに取り入れた美しさなど、この大森町の町並みと暮らしの中に息づいているものです。

私たちがやろうとしていることは、この大森町にある美しさにかなっていること だろうか。それをやって未来の人たちが、この町で真の豊かさや幸せを感じながら生きていけるだろうか。それを問いつづけることが、私たちのビジネスのあり方なのです。

大森町を訪れたお客さまは「ここは落ち着きがあって素敵な町ですね」と言ってくださいます。それは、この町にある「美」を感じてくださっているからではないかなと思います。

これからは、そういった、地域の人々が営んでいる暮らしの中に息づく文化的な豊かさが、経済を生み出す時代になっていくのではないでしょうか。そう考えると、この町には希望がありますし、どこの町にも希望が生まれる礎はあると思います。

3章まとめ

非効率なことを大切に。
経済性を優先させると、地域独特の個性を殺し、
結果的に地域の魅力をなくして経済性も失う。

復古創新。受け継いだ古い大切なものを、**現代の価値観**
に合わせて手を加え、**新しい世界観**を創造する。

これからは、地域の人々が営んでいる
暮らしの中に息づく
文化的な豊かさが、
経済を生み出す時代になる。

町づくりについて友人と語る②

地方のあたたかな人づき合いに価値が生まれてきている

「浜の暮らしのはまぐり堂」店主
亀山貴一さん

かめやま・たかかず／宮城県石巻市蛤浜で生まれ育ち、宮城県水産高校の教師になる。震災で2世帯5人まで減少した蛤浜を再生するため、2012年に蛤浜再生プロジェクトを立ち上げる。2013年に退職し、「cafeはまぐり堂」をオープン。2014年に一般社団法人はまのねを立ち上げ、蛤浜の魅力や課題を生かした事業づくりに取り組んでいる。現在は3世帯、7人に。

阿部家に入った瞬間、自分が目指すものはこれだ！

亀山 登美さんとの出会いは、2013年春でしたね。震災から2年後、町づくりの参考事例を見るために、仲間と西日本に旅に出たんです。2週間かけて車で回って、その最終目的地が群言堂さんでした。何の前情報もなかったけれど、すごくいいところだからって連れて行かれましたが、「暮らす宿 他郷阿部家」に入った瞬間、すごい衝撃を受けたんです。言葉でうまくあらわせないのですが、空気が全然違う。そこから中をご案内いただいたり、阿部家ができるまでの映像を見せていただいたり。何よりも食卓を囲んで、登美さんや大吉さんとお話しする時間が楽しくて、もうその時点で自分が目指すものはこれだ！　という確信がありました。

登美 私も亀山さんたちをお迎えしたときのことは、すごく印象に残っていますよ。亀山さんとは年齢がはなれているのに、どうしてこんなにつながるものがあるんだろうと考えたら共通点がすごくあるんですよ。まず亀山さんは教員をなさっていたけれど、蛤浜の再生のために、事業を立ち上げられた。私も若いころ、周囲からは公務員になるようにすすめられたけど、私の人生はこのレールの先にはないと、もっと別の道があるのではないかと思って降りたのです。そこがすごく似ている。それから亀山さんが事業を立ち上げるときに、半径100mのサステナビリティという、亀山さんが理想とされる蛤浜での事業を絵に描いていらしたでしょう。私たちも大森町に帰ったときに、家の前の通りをパカパカ通りって名づけて、理想の町内の絵を描いていた。それが今現実になっているの。それから亀山さんが「こういうことをしたい」と思ったときに、それができる人があらわれるとおっしゃっていたのも共通点だと思いましたよ。

亀山　登美さんと大吉さんとの出会いも、まさにそうです。教員を辞めて、蛤浜を再生したい、店をつくりたいと思ったときに出会えましたから。僕がお二人からすごく感銘を受けたのは、人に対する向き合い方。一人一人とていねいに向き合って、経営されているなと感じたんです。そのときに入社されたばかりの鈴木さん（163ページ）がお酌してくれたんですけれど、その手が震えているんですよ。一般的な宿は決まりきったサービスですが、「この間入った社員です」って登美さんが紹介してくださって、すごくあたたかい家庭的な雰囲気を感じたんです。その後、何回もお邪魔していますが、そのた

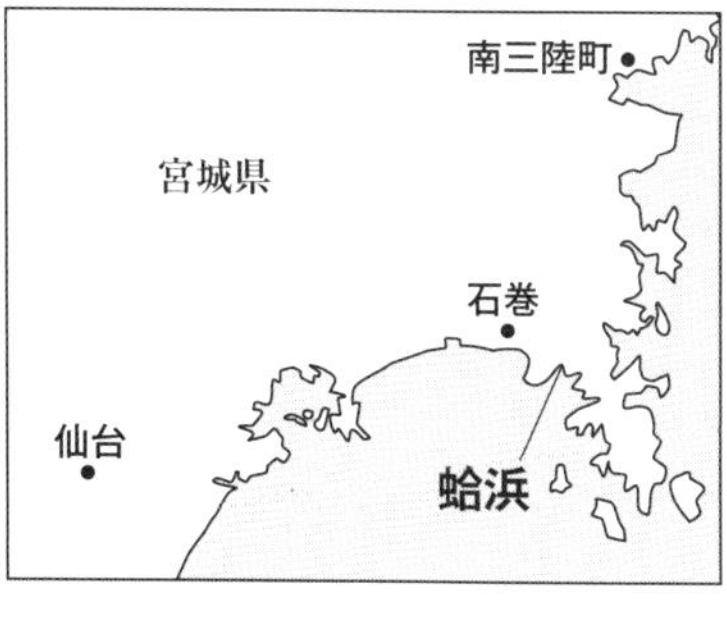

びにみなさんが自分の合う場所で、生き生きと働かれていて、すごくいい会社だなと思っています。

自分の当たり前に価値があることに気づく

亀山　登美さんに、いちばん最初に教えていただいたのが「心想事成」と「復古創新」という言葉。最初に蛤浜の理想の絵を描いて、それを行政や商工会などに見せても「あんなところじゃ無理だ」とだいたい馬鹿にされていましたが、登美さんは「絶対に叶うわよ」って。そのときに「心想事成」という言葉をいただきましたね。本当にこれをやりたいと思い描いて踏み出すと、必ず助けてくれる人があらわれて具現化できる。登美さん自身もそれを実践されていることに、すごく勇気をいただいたんです。絵は下手ですが、そうやって絵を描いて、ビジョンを掲げたことで、どんどん仲間たちが集まって、カフェをオープンさせることができましたから。古いものを生かしながら、今の時代に合わせたやり方をする「復古創新」というのは、今も自分の中のテーマになっています。新しい店を始めるなら、もっと新しいものを入れたほうがいいかな、料理はフレンチかイタリアンかなと思っていましたが、復古創新という言葉を教えていただいて、メニューは浜でとれた魚の定食や、山で狩猟した鹿のカレーに。ごはんも阿部家に倣って、おくどさんで炊いています。建物も津波で流された跡地に新築しようと思っていたのですが、お金が集まらず、仕方なく築100年の自宅を改修しましたが、結果的に蛤浜のよさがお客さまに伝わることになりました。

登美　私は、いつも「足元の宝を見つめて暮らしを楽しむ」と言っていますが、まさに亀山さんも自分にとって当たり前だったことに価値があることに気づいたんですよね。目の前の海にいる魚や山にいる鹿に価値があるって。うちでもこの間、すごくおいしい猪カレーができたの。亀山さんは厄介者の鹿カレーでしょう。こっちは厄介者の猪カレー（笑）。でも亀山さんのところは、私たちの町よりも人口がうんと少ないし、地形的にも不利で、そういう条件の中でやったということは、私たちをこえていますよ。もうそちらのほうが先に行って頑張っているから、私も勉強させてもらおうと思っています。

亀山　足元の宝は、自分でも当たり前すぎて気づかない。でも妻やスタッフは、海に足をつけるだけで喜んで、虫がいればどこまでも追いかけて楽しんでいる。「どこに行かなくてもここだけで十分」って言っています。そういう周りの姿を見ていたら、自分も山や浜のあるこの環境が子どものころから大好きだったことを思い出した。だから、がれきだらけになっても、もう一度ここでやろうと思えた。子どものころのよい思い出があるから、こうしたらもっとよくなるという未来図が描けたのです。その足元にある素材を、面白い仲間たちが料理や建築、マリンレジャーなど、それぞれの得意分野で宝に変えてくれたのかなと思います。

住民を置き去りにしたら町づくりはできない

亀山　でも町づくりというのは、すごく難しい。最初は、この浜をよくしたい、住民のみなさんにとってもよいことだと思って、絵を描いてやってきて、外部からもたくさん応援をいただきましたが、あまりのスピード感に住民が置き去りにされてしまった。お客さまに来ていただきたいけれど、やはり適正な数ってあるんですよね。わざわざ来てくださったお客さまを1時間も2時間もお待たせして、本当はここで過ごす時間をゆっくり味わっていただきたいのに、流れ作業になってしまって、こちらも苦しくなってしまった。何でもかんでも大ごとにして、ただ畑に種をまくだけなのに「種フェス」って言ったり、夏になったら日本一短いトライアスロンをやろうって大騒ぎしたりして、それをSNSに上げると、何百人もの人がわっと集まって来て、もう住民からしたら「うるせえ」みたいな感じですよね。

登美　わかりますよ。私たちも若いころは、本店で大宴会して、庭でも大騒ぎ。翌日、近所に謝りに行くのが大吉さんの役目でした。話に熱がこもると、ついついみんな大声になるし、しかも田舎って静かだから。

亀山　あるとき、住民の一人が不満を言ったら、もう一気に爆発しちゃって。それで、もうこちらは平謝りです。最初は口で謝っていましたが、これではダメだと思って、今までやってきたことをまとめて、これからはこういう方向でうまくやっていきますと一人一人に手紙を書いて……、もうそれしかできませんでした。その後は夜のイベントは中止し、ほぼでき上がっていたキャンプ場もやめて、カフェや海のアクティビティなど昼間だけに専念することになりました。そのころから、山を荒らす鹿の問題も出てきたので、人を呼んでいろいろやるよりは、地域の課題にチャレンジしようかなという思いも出てきましたね。

登美　こういう田舎の集落というのは、今生きている人と同時に、過去に生きている人たちも参加しているんですよね。亀山さんにしたら、自分のおじいちゃんの影響を受けていると感じるでしょう？　そういう意味では全く関係ない田舎で吊るし上げられるのとは、ちょっと違うかなと思っていて。叱られることもあるけれど、謝って受け入れてもらえる部分もあるんですよね。

亀山　そう思います。もうみんな家族みたいなものので、生まれたときからお世話になっているので、「別に憎くて言っているわけじゃねえんだからな」って愛をもって言ってくださっている。「昔はじいさんに世話になったからな」って、よくしてくださることもよくあるので。

登美　あと適正な人数って話。私は石見銀山が世界遺産に登録される前にブータンに行って、当時、入国制限を設けるなどの観光政策がきちんとできているのを見て、すごく勉強になったんです。ただたくさん人が来ればいいっていうものではないし、むしろどういう人に来てもらいたいかっていうことまで考える。とはいえ、うちのお店の前で「この人はどうぞ、この人は入らないで」って絶対に言えないわけでしょう。でも店のあり方や佇まいが、自然に選んでいるんですね。興味のない人はさっさと出ていかれるし、興味のある人はゆっくりと楽しんでくださる。ですから町そのものも、自分たちのありたい姿をきちんと見せていくってすごく大事なのかなと思います。蛤浜は大森町より人口が少ないから、住民の合意形成はしやすいはずですよ。

リモートワークが増えたら都会の人の長期滞在が増えた

亀山　登美さんたちに「経済49％、文化51％」ということを教わりましたが、ゆずれない非効率の部分を守りながら経済性を保つのは本当に難しくて。特に今回のコロナ禍では、実はお客さんが増えたんです。自然の中なので、来やすかったんでしょうね。最初は「コロナなのに売り上げが上がってよかったね」なんてのんきなことを言っていましたが、いや、ちょっと待てよって。県外から来られる人も多いし、もし近所の人にうつしてしまって、ここが感染源になってしまったら、それこそ取り返しがつかない。そう思って、いったん閉めました。

登美　それは、うちも一緒。やはりお年寄りの多いこの町で、たくさんの人が来られる店を開けていいてもいいのかって、おそらくこのあたりでいちばん早く閉店しました。自分の理想とするものをあきらめなきゃいけないなら、何のための経営なんだろうって思いますよね。それは感覚的なもの。私たちも、その感覚的なところをいつも行き来しています。群言堂はすべて国内生産ですが、ある商社の方がお見えになって「生地は国内産でも中国で縫製すれば、こんなに安くできますよ」って。そこで、やっぱり異を唱えてくださったのは、お客さまだったんですよ。群言堂がそれをやってもいいんですかって。そのときに周りの人たちを裏切らないことはすごく大事だと思いましたね。

亀山　最近、コロナ禍でリモートワークが増えて、蛤浜に長期滞在したいという都会の人たちが増えてきたんです。はまぐり堂でもカフェだけでなく、一日浜の暮らしを楽しむプランを始めました。一緒に漁をして魚をとり、阿部家のように一緒に食卓を囲む。何気ない浜の日常に感動してくださる方がいて、こちらもうれしくなります。都会の人たちの中には行き届いたサービスに飽きてしまっている人もいる。サービスをこえた浜のそのままの暮らしや人のつながりというものに価値が生まれてきているんだなと感じます。特に都会でバリバリ働いている方には「浜でふるさとを感じられたり、親戚のようなつき合いができたりすることがうれしい」といわれます。今後はより浜の暮らしを味わい、親戚的なコミュニティーをつくる「はまぐり家」という会員制のしくみを始めようと思っています。

どんなに辛いときも笑顔を忘れない

亀山　最初、僕も群言堂を目指して、どんどん事業をつくって、雇用を増やしてって考えていたんですが、その才覚がなさすぎて……。

登美　亀山さんはそういう才覚を持っていると思うけれど、果たしてどの形がいちばん自分のやりたいスタイルなのかってことよね。そこまでしてやらないといけないものは何かということに、常に向き合って選択していけばいいと思うんですよ。今、うちの会社もコロナ禍で厳しい状況ですが、いろいろなことを考えるチャンスを与えてくれたと思って、今後の方向性を模索しています。

亀山　どんなときも楽しいことを探されている登美さんの姿勢は、本当に見習いたいです。逆境になったときも足元の宝を見つける、だから周りの人がついてきたり、応援されたりするんだろうと思います。以前、登美さんに「辛いときは、どうやって乗り越えたんですか?」って聞いたことがありますよね。そうしたら「常に笑顔を忘れないことよ」って、マムシにかまれて、まん丸の顔になった犬の写真を見せてくださいましたよね。

登美　そうそう。ゲンっていう名前の犬で、自分がいちばん辛いときに人を笑わせて元気にしているのよって、写真に「ゲンキ札」という名前をつけて持ち歩いていたの（笑）。人って辛いときこそ、そういうことに気づくというか、そういうことを求めていますよね。

亀山　僕も数字とにらめっこすると、「あ――！」ってなりますが、登美さんたちのようにまず自分たちが楽しんで、ここの暮らしの面白さを発信していけば、きっとうまくいくんじゃないかなって。厳しい状況でも楽しんで、そこからチャンスをつかんでやろうと思っています。

登美　やっぱりあきらめないことよね。一つのことに固執するっていう意味じゃなくて、本当に自分の大切なものをあきらめないでつづけていくってことだと思います。

第4章

町の風景で
大切にしているものを
伝える

風景はその町の価値

大森町のメインストリートには、私たちが古民家を再生した建物がいくつもあります。元ブラハウスの店である「群言堂本店」「無邪く庵」「他郷阿部家」、旧旅館「朝日館」を改修した「女子寮」、実家の呉服店をリフォームした「根のある暮らし編集室」。そして、そこから山に向かって3分ほど歩いたところに、広島県から移築した「鄙舎（ひなや）」があります。鄙舎の前には、石積みの小川が流れ、丸太の橋がかかり、田んぼには町内に住む鉄の彫刻家・吉田正純（しょうじゅん）氏の作品が置かれています。

私たちは長い時間をかけて、これらの大森町の風景をつくってきました。この町の風土に投資してきたのです。

「長くつづけるには、むだが大事」といった人がいますが、私たちほどむだなことを好んでやる人間は少ないのではないでしょうか。

いちばんのむだは、やはり茅葺きの家「鄙舎」の移築でしょうね。私たちはこの茅葺きの家を移築する前に、社屋を建てるため山裾に1000坪の土地を買い求めていました。ふつうに考えれば、まず社屋を建ててから、環境をととのえるために、茅葺きの家を移築するという順番だったかもしれない。でも私たちは、何の利益を生むあてもない茅葺きの家を先に買って、社屋を建てるはずの土地に移築し、あぜ道をつくり、丸太の橋をかけて……と、そこに数千万円というお金をかけました。

でも今、私たちが会社を語るときに、この茅葺きの家なくしては語れません。いくら理想を言葉で語ってもなかなか伝わりませんが、茅葺きの家や阿部家のある風景は、現実的にとても説得力を持つのです。何も説明をしなくても、この風景を見れば私たちが大切にしているものがわかってもらえる。この風景が、どこにもない価値を生み出してきました。

風土に投資しても、すぐには利益になりません。でもこれらの風景は次の世代におくっていけるものですから、今すぐでなくても、長い目で見れば利益を生むものになります。この一見むだに思える風土に投資してきたからこそ、私たちは事業を継続できたのです。まさに「長くつづけるには、むだが大事」なのです。そう考えると、この風景づくりは、大きな意味のあることだったのではないかと思います。

古民家の修繕は、家の声を聴く

中でも私たちが最も投資してきたのは、古民家再生事業です。私たちはこの町で11軒の古い空き家を改修し、人が住める状態にととのえました。もともとは町の景観を保ちたい、来てくれたスタッフに気持ちよく暮らせる空間を用意したいという思いで始めましたが、やり始めると楽しくてしょうがないんです。

古民家再生に設計図はありません。「この柱は残そう」「この壁は全部はがして」と、その場その場で判断していくため、最初のころは失敗だらけでしたが、ラッキーなことに、偶然この町を訪れた腕利きの左官職人さんに出会えたのです。

その方に、フランス人のトーマさんの家の壁を塗っていただいたことがご縁で、東京・西荻窪の古民家カフェ「Re:gendo（りげんどう）」（現 石見銀山 群言堂 西荻窪〈暮らしの研究室〉）の左官仕事もすべて引き受けていただけました。

「りげんどう」は昭和初期生まれの古民家で、材料も島根から持っていって改修しました。改修中は多くの人が視察に見えたそうです。それぐらいその左官職人さんの仕事は、業界でも注目されていたようです。

2016年、テレビ東京『カンブリア宮殿』に出演したとき、インタビュアーの村上龍さんからは「二人の活動、ビジネスは『ロハス』という枠では捉えきれない。『古民家再生』への情熱は強烈で、何かと闘っている印象があった。自然で、穏やかな闘い。」という言葉をいただきました。

壊れたり見捨てられたりした家を、一つ一つ修繕していって、家が元気になると、こちらも元気をもらう。私は「家が喜ぶ」という表現をよく使いますが、本当に家が喜ぶように感じられるのです。

町もそうですが、どの家にも歴史というものがあり、どんなに廃墟と化していても、そこに蓄積された時間は存在しています。ですから家を改修するときは、その家を建てた人が今ここに生きていたら、どうしたかったのだろうか、これをやって喜ばれるだろうかということに思いを馳せます。家の声を聴きながら修繕していくことで、私にはない大きな力を授かる気がします。

その顕著な例が阿部家です。阿部家は1789年に建てられた武家屋敷。石見銀山の地役人・阿部清兵衛の子孫が暮らしていました。引き取った当時の阿部家は、床は抜け落ち、建具はボロボロ、室内には草まで生えていて、誰もが「こんな家にお金をかけるなんて」と言うほど、まるでお化け屋敷のようでした。

そこから私たちは、阿部家の声を聴きながら、一カ所ずつていねいに手を入れて改修していきました。13年かけて改修した阿部家は、かつての廃墟と化した阿部家とは見違えるほどになりました。

阿部家にいらっしゃるお客さまは、よく玄関に入った瞬間に「すごく感じるものがある」とおっしゃいます。阿部家が発する何かを感じていらっしゃるのでしょうね。ここに来ると、目に見えない何かを感じる力も蘇(よみがえ)るようです。

近年、日本各地で人口減少によって空き家が増える、いわゆる「空き家問題」が社会問題化しています。空き家の多くは、主に築30~40年以上の昭和の物件です。築200年以上の江戸時代の古民家を再生するのも意義がありますが、私たちはこうした昭和の空き家も楽しんで再生しています。

誰でも家一軒を建てることは相当の覚悟が必要で、そこには家々の思い出が蓄積されます。ですから家には、それぞれの個性があります。その個性をいかし、大切に使わせていただくつもりで修繕しています。

私が現在、改修しているのも、まさに昭和の家。そこに一人暮らしされていたおばあちゃんが亡くなり、遺族の方から譲り受けたものです。

スタッフと一緒に、トラック5台分のゴミを処分するところから始めて、自分たちで漆喰を塗ったり、障子を張りかえたり、と少しずつ作業を進めています。つい先日は納屋を解体しました。さらに手をかけていくことで素敵な家になるんじゃないかなってワクワクしています。

「ボロの美」を生かす

古民家再生を行ううえで大きな影響を受けたのは、外国人やアーティストでした。特に刺激を受けたのは、お二人。一人はオーストラリア人のマーク・サクレイさん。英語教師として日本に来られたのが出会いで、大森町をすごく気に入ってくださった。古びた車を手に入れて、さびているところやはがれているところを指さして「ワビサビだ」と言う彼のユーモアに、それは違う、違うって大笑い。

①東京・西荻窪の「Re:gendo(りげんどう)」は伝統技術を受け継ぐ職人たちが改修を手がけました。②完成後のりげんどう。③昭和の家を再生中。④無邪く庵の外観。⑤すすけた壁を残したことで「無邪く庵」は、より味わいのある空間に。

3

5

マークさんの視点が私たちと全く違って面白かったのは、無邪く庵を改修するとき。おばあちゃんの手あかが残っている黒光りする柱は残したほうがいいとか、すすけている壁は汚れて見えるけれど美しいとか、とにかく私たちの目がいかないような何気ないものの価値を彼は教えてくれました。そして、それをすべて残したことで、無邪く庵はすごくユニークな空間になったのです。

彼は、よほどあの空間が気に入ったのか、オーストラリアに帰って何年もしてから、オーストラリアのテレビ局の人をこの町に連れてきて、無邪く庵を番組で取り上げてくれましたよ。

マークさんが空間デザインを教えてくれた人なら、加藤エイミーさんは、センスを教えてくれた人。藍染めの研究家で東京・麻布十番で「Ｂｌｕｅ＆Ｗｈｉｔｅ」を営むエイミーさんは、結婚して加藤さんという姓になったアメリカ人。哲学的かつ芸術的な側面から日本人以上に日本の美しさを見るので、とても勉強になります。

実はエイミーさんと出会う前から、私は『ジャパン・カントリー・リビング』というエイミーさんのご著書で彼女のことを知っていましたが、いろいろなご縁が重なり、ついにエイミーさんと知り合うことができました。

初めてお会いしてから、もう何年のおつき合いになるでしょうか。東京に行けば泊めていただき、大森にも泊まりに来てくださって、つい最近もアメリカから来られたお孫さんに、大森を見せたいと一緒にお見えになりました。

鄙のひなまつりでも素敵な大森の風景をカメラにおさめてくださいましたが、エイミーさんは日本人が気づかない魅力に気づける人。ご本人は「青い目を持っているから見えるのよ」なんておっしゃいますが、私はいつもそれに気づけなくて悔しいって言っています（笑）。

大森の町に「ボロの美」という宝があることを教えてくれたのもエイミーさんです。ボロの美とは、時間と自然がつくり上げたクリエイティブな美のこと。たとえば、この町には、ほとんどの家に縁側がありますが、風雪にさらされた、その縁側の傷み具合もボロの美の一つです。その縁側に山野草をいけて置くと、それもまた美しいと。また町には、たくさんのお寺がありますが、その石段一つ一つにコケや野花が咲いているのも美しいし、雪や雨が降るとまた違う趣がある。

この町の風土から生まれる自然とのバランスが、大森町の宝であると教えてくれたのです。

エイミーさんからいただくプレゼントも、いつも思いがけないもの。たとえば、茅葺き屋根の葺き替えのクラウドファンディングの際には、５００円玉を10枚ずつ、昔の大福帳の和紙におひねりのように包み、それをいくつも竹かごに入れて贈ってくださった。ただお金を贈るのではなく、そういう贈り方がすごくエイミーさんらしい。

また、あるときは彼女の家の近くの印刷工場から出た、パンチで穴を開けたあとに出る丸いゴミを袋いっぱいに持ってきてくれました。その丸い紙くずが彼女の店の名前と同じブルー&ホワイトの色。それを私が「もったいない神様」と三方に山盛りにのせて（巻頭カラー7ページ目、上の写真）、「東京ではゴミになるけれど、島根では神様になるのよ」って言ったら、エイミーさんは大喜び。彼女とはそんな面白い遊びをしています。

大森町に興味を持ってくださった外国人やアーティストといえば、世界的に活躍されている音楽家で、フランス国立放送フィルハーモニー管弦楽団の首席フルート奏者を務めたトーマ・プレヴォさんもその一人です。

大森の女性たちに大いに刺激を与えてくれた加藤エイミーさん。

トーマさんは初めて大森町に来られたときから、この町にすごく興味を持たれて、いずれ年をとったら、この町に住む家がほしいとおっしゃったのです。そこで夫がすすめたのが、日本人が見たら、びっくりするようなボロボロの家。世界的なフルート奏者にそんなボロ家を紹介するのは失礼だって、私は止めましたが、夫は「トーマさんは、絶対に気に入るはずだ」とききません。それで見せたら、トーマさんはすごく気に入られたのです。

トーマさん曰く、家は直せば直るけれど、この家の裏にある古寺の竹やぶとそばを流れる小川の借景はつくることも買うこともできないんだと。そういう感性で家を選ばれるのは、さすがだなと思いました。

会社の象徴になった茅葺きの家

広島県から移築した茅葺きの家の話をしましょう。私がチェンマイの「美しい竹林の家」で大いに刺激を受けたことは、先にお話しした通り。何よりも印象に残っていたのが、この村の象徴になっている古民家の工房でした。

私はチェンマイから帰ってすぐ大吉さんに、この古民家の工房のことを話しました。そこで私たちも、こういった象徴的な建物がほしいね、日本ならやっぱり茅葺きの家かねと盛り上がっていた数日後……、なんと「茅葺きの家の引き取り手を募る」という新聞記事に出合うんです。もう導かれるようでしょう。そして私たちは、この茅葺きの家を大森町に引き取ることを決断するのです。お金のことは何も考えずに（笑）。

そうと決めた私たちは、さっそく現地に茅葺きの家を見に行きました。正直、それほど立派なものではありませんでしたが、私たちはその場で申し込むことを決めました。

そこに住んでいらっしゃった80歳を過ぎたおばあちゃんと、お茶を飲みながら、かつて石見銀山と尾道は銀の道という道でつながっていたから、この家にはそういうつながりがあるんじゃないかという話をしました。また大森町に戻り、改めて申し込むときには、一つのアピールとして本店の改修の写真を添えました。私たちはこうやって古民家を再生して活用してきましたと。

蓋を開けてみると、申し込みは約50人とけっこうな競争率。その中から我社に決まったとご報告を受けたときは、移築費のことを考えて正直、あわてましたね。

茅葺きの家は「鄙舎」と命名し、ふだんは社員食堂として食事をしたり、歓送迎会をしたりする場所として使っています。不定期にコンサートやイベントをしたり、社員や近所の方の結婚式や披露宴をしたり、会社や地域のために使っています。年末には、子どもから大人まで町内の人たちが集まってもちつきもしています。建具をとりはらえば広間にも田の字型にもなって、自由に使えるので、そのときの用途に合わせて使い方を変えています。

この茅葺きの家を移築してから、あちこちからうれしい話を聞きました。

島根県浜田市から講演会に呼ばれて、浜田市でタクシーに乗ったときのこと。タクシーの運転手さんから「どこから来たのですか?」と聞かれて、石見銀山からですと答えたら、あそこに茅葺きの家があるでしょう、と話が始まりました。

何年か前に、ブラジルに移住して一時帰国したおばあちゃんを乗せて出雲大社に連れて行ったそうです。ついでに石見銀山にも寄ろうと銀山に向かっていると、途中で茅葺きの家が見えた。そのおばあちゃんは「久しぶりに日本に帰って来ても自分の知る日本は、どこにもなかったけれど、この茅葺きだけは知っているし、懐かしい。この茅葺きに出合えてよかった」と言って、タクシーから降りて縁側にしばらく座られたそうです。その話を聞かせてもらったときに私は、大変だったけれど、この家を移築してよかったとつくづく思いました。
もう一人、若い女性の話です。その女性は、大森町よりさらに山の奥のほうにおばあちゃんの家があり、高校時代はバスに乗っておばあちゃんに会いに行っていたそうです。あるときバスの窓から見えた茅葺きの家にすごく感動して、わざわざ大森町のバス停で降りて近くまで見に行ったんですって。それがきっかけで、その人は結婚してから滋賀県の古い茅葺きの家をもとめて、特定郵便局を営業していました。彼女とは今もずっとつながっています。この茅葺きが結んでくれた縁だろうと思っています。

1996年に移築してから20年、屋根の葺き替えが必要になってきました。でも葺き替えには2000万円もかかる。資金不足から、トタン板の屋根も考えていたときに、金融機関の方が「茅葺きは御社の象徴だから残さないわけにはいかないでしょう」とおっしゃった。

まさに、この茅葺きは当社の象徴。ものを残さないと職人が残らない。職人を残さないと技術が残らない。最初は勘だけで手に入れた茅葺きの大きな意味を、このとき改めて知ることになりました。

といっても金融機関でお金を借りると、返さなくてはいけません。そこで半分の1000万円は自力で努力して、残りの1000万円はクラウドファンディングでみなさまにご支援をお願いしようということになりました。そして群言堂のお得意さまや阿部家にお泊まりになったお客さまにもご案内したら、1000万円をこえる支援が実現しました。信じられないようなことが起きたのです。

支援してくださった方とは思い出深いエピソードがあります。

忘れられないのは「子どものころに茅葺きの家に住んでいて『こんな家は恥ずかしくて友だちを連れてこられない』と親に言って泣いたけれど、今はそう言った自分が恥ずかしいです」というお話です。

これほど多くのお金が集まったのも、この家が集めてくれたのだと思います。みなさまの支援金をありがたく頂戴し、2017年、無事に葺き替え工事を完了させました。

あるものの価値を信じて生かし切る

古民家再生にしろ、茅葺きの家の移築にしろ、私たちの根底にあるのは、古くからあるものの価値を信じて、それを生かし切ろうという思いです。町の中の廃屋は、一般的には価値がないものとして壊されてしまいがちですが、そこに価値があると信じて修繕する。里山も景色も、ここにしかない価値と信じて手をかけ風景をつくる。

大森町には私たちにそう思わせる土地の魅力がありますし、どこの地域にも必ずそういった土地の魅力はあるのではないでしょうか。そして、その価値を生かすうちに、自分も喜びを感じるようになって変化が生まれます。その結果、大森町でユネスコの国際会議が行われるという奇跡が起きたのです。

ユネスコの「持続可能な開発のための教育（ＥＳＤ：Education for Sustainable Development）」国際シンポジウムの第1回目が開催されたのは、２０１６年のこと。世界各国から訪れた専門家の方々が、大森町をＥＳＤのモデルケースとして、この町の地域づくりや住民の意識などを視察されたあと、鄙舎でＥＳＤの学びや課題についてディスカッションが繰り広げられました。阿部家はミーティング会場、夕食会場、参加者の宿泊場所として活用されました。

そのキーパーソンとなったのが、当時ユネスコのＥＳＤ担当者だった韓国人のスー・ヒャン・チョイさん。もともとスーさんは日本の大ファンで、初めて大森町に見えたのは個人的な旅行でした。片言の日本語と英語の辞書を引きながらの会話でしたが、最初から共感できるものが多かったことを覚えています。

その彼女がまさか大森町で国際会議を開こうと考えているとは思いもよりませんでしたが、実際にこの町で国際的な会議が開かれたことは、まさに奇跡としか言いようのないできごとでした。

その後、２０１８年にスーさんからバンコクで会議があるから来てほしいと頼まれました。私は大森町で開かれた会議のような気軽なイメージで出かけて行ったら、なんと１００カ国以上の方々が集まるようなすごい国際会議！　ゲストは私たった一人です。ゴミや海洋プラスチックなどのパネルが貼ってある会場で、さまざまな環境問題をとりあげた議論がされる中、私の出番がやってきました。今考えても、

（上）2018年、バンコクで講演。©UNESCO
（下）2019年、大森町で2回目のユネスコの国際シンポジウムが開催。世界中の人たちが集まる場所になるとは、40年前は夢にも思いませんでした。

冷や汗が出るほどです。

私が話したことは、大森町の紹介や、町で実際にしていることなど事例紹介のようなこと。たいそうな話はできませんでしたが、会場の大きなスクリーンに大森町の町並みの映像が映し出される様子を見て、大森町というのは、こういった場で世界中の人から見られてもその存在意義を伝えられる意味がある町なのだと、しみじみうれしく感じました。

そしてバンコクで決まった新たな目標を、アジア地域の教育分野のリーダーと共有し実行に移していくために、２０１９年、再び大森町でシンポジウムが行われました。

行政からの提案をうのみにしない

町づくりには行政との関わりが欠かせません。最後に行政とのつき合い方についてお話ししましょう。私たちは行政とは基本的には共存、協調を大切にしてつき合っています。

この町で行政と最もうまくいった例は、重伝建地区の選定のときでしょうね。このときは親の代が中心になっていたので、町民会議には義父が積極的に出ていました。先述したように、選定によって町に大きな網がかけられて、暮らしに不自由が出るのではないかと懸念する声も多少あったそうですが、多くの住民がこのままではこの町は残らないという危機感を感じていました。わらをもつかむ思いで、行政とともにそこにかけた。あのときの判断はよかったと今は誰もが言っていますね。重伝建地区の町並みはやはり美しいですから、選定によってみんなが町に誇りを持ち始めたという声もよく聞きます。

一方、行政に対して物申すことはしょっちゅうです。たとえば町の開発をするときに、担当者が他の地域で見てきた先進事例を住民にスライドで見せるわけです。そうすると、私は「それはその地域でやるから意味があるわけで、そんな二番煎じやったってしょうがないでしょう」って思う。

古民家改修のアイデアもまた「こんな活用の仕方はどうでしょう」といきなり提案するので、私は「まずその家を一般公開して、町民が見学して、その歴史を調べるところから始めたらどうですか」という提案をしたこともありました。

大森町の人は地元愛が強く、誇りを持った人も多い。だから、ちょっとでも行政から首をかしげるような提案があれば、私より先にまっとうな意見を出してくださる若者もいたりして、とても心強いですね。

もちろん行政側もよかれと思って提案をされているわけですが、実際に暮らしている私たちの現実や実感からはズレていることもままあります。単に行政側から言われたことをうのみにするのではなく、住民側の意向もはっきりと伝えていく。それで調整しながら、一緒にやっていくのが理想だと思います。

4章まとめ

その**町の風景**は、その**町の価値**。
私たちが大切にしているものを
ひと目で伝えてくれる。

風景は次の世代への贈りもの。
今すぐ利益を生まなくとも、
長い目で見れば利益を生むものになる。

古民家の修繕は**家の声**に耳を傾けながら。
住んでいた人の暮らしに思いを馳せながら。

前輪が文化、後輪が経済 群言堂の事業は素晴らしき自転車操業

グラフィックデザイナー
佐藤 卓さん

さとう・たく／東京都生まれ。東京藝術大学大学院修了後、株式会社電通を経て、1984年、「株式会社佐藤卓デザイン事務所」設立。現在は「株式会社TSDO」代表。「ニッカウヰスキー ピュアモルト」の商品開発や、「ロッテ キシリトールガム」「明治おいしい牛乳」のパッケージデザイン、NHK Eテレ「にほんごであそぼ」アートディレクションなど多岐にわたり活躍。

計画してつくられていない だから本当にユニーク

登美　卓さんとは2007年に北海道滝川市で開かれたデザイン会議で、初めてお会いしましたね。会議が終わって宴会のような席があって、卓さんの周りは盛り上がっていましたが、私もそこに押しかけていったんです。そこで話していたら、大森町に住む友人の鉄の彫刻家、吉田正純さんと東京藝術大学の同期でいらっしゃることがわかった。そこで私も急に親しみを感じて、図々しくもいろいろなお話を聞かせていただいたんです。

佐藤　吉田正純さんはアーティストでお坊さんもされている藝大の同期でしたが、社会人になってしばらくして彼は田舎に帰ったという噂は聞いていたんです。それで登美さんとお会いして話していたら、同じ町で一緒にいろいろなことをやっておられると聞いてエーッと。それで今まで伺ったことのなかっ

た石見銀山や大森町が急にリアリティを持ってきたんです。その後、仕事でご一緒することの多かった写真家の藤井保さんから「会ってほしい人がいる」と紹介されたのが大吉さん。そこで初めて登美さんとご夫婦と聞いて、そこから群言堂さんの活動をお手伝いすることになったのです。

登美　ちょうど梅花酵母（石見銀山の梅の花に生息している自然酵母）が見つかったときで、これからいろいろな商品開発を考えたいし、デザインもどうしようかとご相談させていただいたときですね。

佐藤　そこから初めて伺ったのが極寒の2月。人っ子一人いない中、地元の方に石見銀山や大森町の歴史を語っていただきながら、ぐるりと町を案内していただいた。それで、もう完全に心が奪われたんです。こんなところが日本にまだ残っていたんだという感動です。しかも大切に保管されているのではなく、実際にそこで生活が営まれているところが本当に素晴らしくて。そして町のあちこちに吉田正純さんのアートワークがあって、赤さびた鉄の作品が町に溶け込んでいる姿がまた美しい。こういう町は見たことがなかったので、何が起きているんだろう？なんだここは？……と商品開発よりも大森町で起きていることに自分の興味は向いてしまった。その後、「暮らす宿 他郷阿部家」に泊めていただいて、お料理を食卓でいただきましたが、まさに「復古創新」を目の当たりにして、完全にひきこまれてしまいましたね。「復古創新」という言葉が当てはまるけれど、そう簡単に一つの言葉ですませられない、よくわからない魅力がいっぱいあるところだなって。

登美　卓さんは、すごく褒め上手。何でもないことをいつも褒めて喜んでくださって、私はすごくうれしいの。いつかお泊まりに来られたときに、何も花が見当たらなかったから、私は何気なくその辺に生えているタンポポの綿毛を2、3輪、花器に挿したんですね。そうしたら卓さんが、異常な反応というか、子どもみたいにはしゃいで喜んでくださって(笑)。

佐藤 あのときのタンポポは、目に焼きついていますよ。さりげなく壁に下げた花器に挿してあって。その綿毛にやわらかい照明があたり、その影が壁に落ちて……、もうそれが素晴らしく美しくてね。これは計画してやっていることじゃないですよね。僕はデザイナーの習性として、つい計画を立てて進めることを考えてしまうけれども、登美さんたちがやっていることって計画通りに進めていると思えないんです。あっ! と思ったらどんどんやってみる。偶然のよさをどんどん取り入れている。この感動は、やっぱり計画通りにやっていない魅力だろうと思いました。その積み重ねが文化になっているし、それが町づくりに生かされている。その魅力は直接的ではないけれど、ものすごくデザインの仕事にも影響してくる。僕もすごく考えさせられるわけです。

登美 印象に残っているのが、私が卓さんにうちの会社の説明をしたときに「うちの会社はできちゃった会社なんですよ」といったら「面白いね、それ」って喜んでくれて。ふつうは会社をつくるというとすごくかまえるけれど、私たちは「こんな会社、できちゃいました」って。

佐藤 まさに、それって計画してつくられていないですよね。だから、そういう言葉とか、そういう現場を見た瞬間に「え! なんだそれは」ってもう感動して、そういうことが逆にデザインに取り入れられないだろうかって大きな課題が自分の中に浮かび上がってくるわけです。そういうことに出合うことはそう多くないので、いまだにわからないことだらけだし、だからこそ何度でも伺いたくなるし、本当にユニーク。

登美 ふつうの人には失礼に当たるかもしれないこ

とも、逆に卓さんは喜んでくださるので、こちらも図に乗ってしまって、ついつい……（笑）。

佐藤　いやいや、本音で反応できるんですよ。理屈でなくて感覚的なものなので、逆に素直に反応できるというか。皆さんが育んできた環境に、そういう風土がある気がしますね。素直になれるというか。

登美　この町で町づくりや地域活性という言葉を使う人は、ほとんどいないんです。みんなが勝手に好きなことをやっていて、それがいいふうに回っているような感じですね。私自身はデザインの勉強をしたことがなくて、全く自信が持てず、いつも相手の方の反応を見ながら切磋琢磨（せっさたくま）しているところがあるんです。だから卓さんに喜んでいただけるのは、とてもうれしいですね。

佐藤　阿部家の皆さんがやってらっしゃることって、いい意味でデザインという言葉が似合わない。デザインという言葉と概念は、西洋から入ってきて、日本でも使うようになりましたが、阿部家は言ってみれば、それ以前の「暮らし」です。計画的につくられたものではなく、生活のために自然に生まれた器や道具がそこら中にある。それが登美さんのおっしゃる「根のある暮らし」。すごくいい言葉ですよね。私たちはすべて大地に根づいて、その上で暮らしを営んでいるはずなのに、東京は何から何まで人工的につくられていて、根のある暮らしから遠ざかっています。しかも、ふだんは気にしないので、感覚が麻痺（まひ）しています。でも人の体には、土の上で生活する感覚がDNAとして残っている気がして、大森町や阿部家に行くと、ふだん眠っているその感覚が一気に呼び覚まされる。それは多くの人が感じることだと思います。

登美　経済社会から見ると、芽が出た、花が咲いた、実がなった、って地上のものばかりに目がいくけれど、地上のものに養分を与えて支えているのは実は根なんです。だから島根っていうのは「根」がつくからすごくいいなと思って。それから、ここに嫁いだときに親戚からもらった「草の種は、たとえ落ちたところが岩の上であっても、そこに根を下ろさなければならない」という言葉にも、偶然「根」が入っているので、根というのは大事なものだと思っています。

佐藤　大切なものは目に見えないとも言います。

価値は外側からつけるものではないすでにそこにある

佐藤　ここのデザインのお手伝いをさせていただくときは、何しろ余計なことをしないで、みなさんに喜んでいただきたい一心でしたね。だいたいデザイナーって、余計なことをするんですよ。たとえば『ぐんげんどう』という書籍では、クリエイティブディレクションを担当させていただきましたが、登美さんと大吉さんがこれは自分たちの本だと思えるものをおつくりしなければいけない。写真家の藤井保さんや私がつくった本をもらったという形になってしまったら、これは大失敗なわけです。みなさんのものにならなければいけないので、そこはいちばん気をつけましたね。

登美　卓さんは以前「付加価値撲滅運動」をやろうとおっしゃっていましたよね。付加価値、付加価値っていうけれど、それを本当につける必要があるだろうかって。私もここに暮らしていて、そう感じることはよくあります。お客さまへのサービスって考えるとつい付加価値をつけようとするけれど、むしろ引き算していくほうが大切なものが見えてくる気がします。

佐藤　価値は外側からつけるものではない。すでにそこにあるという考え方です。目には見えないけれど、そこにあるものを見つけ出して、おつなぎするのがデザインの仕事だと思っていますから、僕は付加価値という言葉が大っ嫌いなわけです。登美さんもそう思われているのはうれしいですね。

登美　自信がないから迷ったり、プレッシャーを感じたりしますが、すでにそこにある価値というものを認めてくださる方がいるというのは、すごく勇気をもらいますね。卓さんは、そういう価値を見つけるのがお上手。

佐藤　私はふだん、いろいろな環境でお声がけいただいて、そこに入るわけですが、常によそものなのです。いわゆる中の人間ではない。でも中にいると当たり前で気づかないことも、外にいるからこそ気づけるわけです。たとえば、ものづくりの現場を拝見して、どんな思いでつくってこられたか、今ある財産は何か、技術は何かって次々と質問させていただく。そのときに、ただ質問させていただくだけでなく、「もしかしたらこう考えて、こうされているのですか？」と仮説を立てて聞くと、現場の方は当たっていてもはずれていても、すごく喜んで答えてくださる。当たっていると「その通りですよ、よくわかりましたね」って、はずれていると「いや、違うんですよ、実はこうなんです」って、ものすごく喜んで説明してくれるんです。そうすると私も感動するわけです。これって世の中に何も知られていないから、そのままお伝えするほうがいいんじゃないですかって、そういうところにつながっていくんです。でも群言堂さんの素晴らしいところは、今の社会を否定するわけでもなく、今の社会と関係を持ちながら、そういう文化を育んでいるところですよね。自然環境に恵まれたところで古い文化を復活させようとされる方たちは、とかく現代社会を否定しがちですから。最も大切にされている生活や文化と経済がうまく関係を持っている例って、なかなかないんじゃないかと。

登美　うまくバランスをとっているところはあるかもしれないけれど、ここまでギリギリでバランスをとっているところは珍しいと思う（笑）。

佐藤　登美さんたちがやっていることって「素晴らしい自転車操業」だと思うんですよ！　自転車操業って悪い意味で使われますが、自転車って人間の力で移動しますから、すごくエコ。その自転車にみなさんがやっていることを当てはめると、前輪が文化で後輪が経済。動力は人間の漕ぐ力ですが、エネルギーを回転させる後輪が経済。だけど向かう方向を決めるのは前輪の文化である。素晴らしい自転車操業ってどうですか。

登美　また卓さんから名言をいただきました。素晴らしき自転車操業（笑）。

大森町には異質なものを飲み込む力がある

登美　先ほど、卓さんは中にいる人は当たり前すぎてそこの価値に気づかないとおっしゃったけれど、私の自慢は40年ここに住んでも毎日ワクワクすることなんです。これは一つの才能かなって。それと私は「家の声を聴く」「土地の声を聴く」ってよく言いますが、もちろん自分の声はあるけれど、そればかりを中心におくと偏ってしまうので、自分の声は消しておいて、家や土地の声を聴くようにすると、新しいことが見えてきたり、聴こえてきたりするんです。

佐藤　登美さんとは本当に考えていることが重なってうれしいですね。デザインは、自分をどこまで消せるかということなので。どこまで自分を消して、お役に立てるかがデザインだと思っています。

登美　修行みたいですね。

佐藤　私の修行は全然甘いですけれど。でも、人間ってつい自我が出るので、できるだけ早くそれに気づいて消し去ることは、本当に心がけています。

登美　卓さんには2020年に、大森町の町並み全体を一つのミュージアムに見立てて作品や文化財を見て歩ける「石見銀山ウォーキングミュージアム」にもご参加いただきました。古い町並みに今までにない異質なものが入ることによる相乗効果はすごいものがありますよね。阿部家の玄関に掛けてある「納川（のうせん）」という文字は、中国の友人が書いてくれたものですが、納川というのは、異質な川をたくさん飲み込んで、海のような深さと広さと美しさを持つ川のこと。だから文化が違う、国が違うといってシャッターを下ろすのではなく、海のようにすべての異質な川を飲み込みなさいっていうのが、この文字の意味なんですね。この町には不思議と、そういう異質なものを飲み込む力があると思っています。

佐藤　そうですね。そもそも登美さんたちがされてきたことって、すごくハイブリッドなことなんですよね。いろいろと組み合わせて。それは本当に大吉さんと登美さんの若い極貧生活のころから何も変わっていない。道に落ちているものから何かを生み出したり、もともと違うものを一つにして魅力的なものをつくったり、二人が若いときから実践されてきたことが、ちょうど大森の町の風土と一つになって、何かそういう大きな器になってきたんじゃないかということは感じますね。

登美　この町はビジュアル的にすごいものはないけれど、細かいことの一つ一つに美しいところがあります。そうそう、群言堂のロゴはもともと吉田正純さんが書いてくださって、ただ看板をつくるときに少し使いにくくて、どうしようかと卓さんに相談したら、すごくいい形で直してくださった。だから群言堂のロゴは吉田さんと卓さんの合作なんですよね。不思議なご縁でロゴができたのも感慨深いものがあります。

第５章

世界遺産登録で観光のあり方を考える

青天の霹靂だった世界遺産

帰郷して20年後の2001年、事業と町づくりを両輪でやってきた私たちの足元を揺るがす大きなできごとが訪れます。石見銀山が世界遺産登録の前提となる「暫定リスト」に掲載されることになったのです。

世界遺産への登録を、足元を揺るがす大きなできごとと表現したことに違和感を持たれる方もいらっしゃるかもしれませんが、私たちにとってはまさに青天の霹靂(へきれき)でした。

初期の世界遺産登録説明会では、壇上にいる人たちが「みなさんうかうかしている場合じゃないですよ、世界遺産になったら、どんなビジネスチャンスが訪れるかわかりませんよ」と、まくしたてていました。私は「やっぱりそこか」と落胆しました。世界遺産登録が人間の欲をあおるできごとになっていることに、ひっかかりを感じたからです。

世界遺産登録に真っ先に異を唱えたのは夫でした。夫は反対していたわけではありませんが、準備のために時間がほしいと主張していました。でも行政と町民の思惑には差があったように思います。町の中で賛成派と反対派、行政対民間といった分断が起こってしまいました。これは私たちにとっては、かなり辛いできごとでしたね。この章では世界遺産登録の顛末(てんまつ)についてお伝えしますが、ここから先は熱心に活動していた夫の大吉さんにバトンを渡します。

*

松場登美の夫、松場大吉です。

私たちは世界遺産になる20年も前から石見銀山に店をつくり、仲間たちと町づくりをしてきました。本店は地域の店というより、国内外に向けたショールームにしたい、そういう思いで、このわずか400人の町に投資してきたのです。そして、ゆっくりゆっくりと進みながら、この町を訪れるリピーターを増やしてきました。そこにポンと世界遺産の話が出てきたのです。

私は、もともと世界遺産自体を否定していたわけではありません。ただ世界遺産に登録されたらもうかる、人がたくさん来て町が潤う、そういった経済一辺倒の行政の姿勢には異議を唱えました。

たいていの人が飛びつく話かもしれませんが、私からすると、大手観光業者の思惑に踊らされた烏合(うごう)の衆に大森町が荒らされる、本当の町のよさがなくなってしまうのではないかというこわさがありました。

そう思った理由の一つに、１９９５年に世界遺産登録された白川郷の例がありました。石見銀山の世界遺産登録の動きが始まったころ、有志二十数名で視察のために白川郷へ行きました。人の暮らしがある町が世界遺産になった例として参考になるのでは、と思ったからです。しかし当時は、観光優先の町になっているように見えました。

そこに住むおばあちゃんからは、こんな話を聞きました。おばあちゃんが畑仕事をしていると、カメラを持った観光客から「おばあちゃん、こっち向いて」と被写体にされるそうです。おばあちゃんは、ふつうに生きるために畑仕事をしているはずなのに、動物園の動物のように見世物になっている。最初は「どうぞ」とカメラにおさまっていたけれど、何回も催促されるといやになって、畑仕事は観光客のいない早朝と夕方だけにするようになったと言います。あまりに失礼な話ですよね。その後、白川郷では行政と住民の話し合いの場を設け、当時、抱えていた問題の解決にのりだしたと聞きました。

それで私は反対の狼煙（のろし）を上げたわけですが、最初は多かった異議を唱える仲間も、話が進むうちに、どんどん減っていき、最終的に数人しかいないという状態になっていました。世界遺産になれば町が豊かになると、どんどん喧伝（けんでん）されて、新聞をはじめメディアも「世界遺産に向けて」という見出しをつけてあおるわけですから、人々がそちらに進んでいってしまうのもしょうがない。1年ぐらいで流れが大きく変わっていきました。

土地の値段が上がると期待した人もいたようです。当時は世界遺産という言葉に何かマジックがあるように感じていた人も多かったのではないでしょうか。

これは、もういくら反対しても、単に奇人扱いされるだけで、一般的には理解されないだろう。ならば町の協議会に入り、そこで正々堂々と町のよさや未来を語り、そこから議論していこう。世界遺産になる準備として、住民や行政としっかり話し合って合意形成を得ながら町を守っていく。そう私は考えを切り替えて、この渦の中に入って動くことを決意しました。

合意形成に困ったときは「町の未来」を目標にする

そこから2年かけて、私は自治体の協議会長になり、町の住民憲章や町のルールをつくりました。1年365日のうち大半は町を歩いて住民と話したり、町民集会や会議をしました。

住民は100人いれば100通りの考えがあって、全く同じという人はいませんから、全員の意見をまとめていくことには難しさが伴います。一人一人の考え方を認めながら「こっちの方向に向かっていくけれど、よろしいですか」と確認する。それでも難しい場合は、とにかく頭を下げて「ついてきてくれ」「一緒にやろう」と言うしかない。何度も何度も会合を開き、もうみんなが疲れ切って「松場さんの言う通りでいいよ」というところまでやりました。

住民の間で意見がわかれたときは「町の未来」という目標を掲げると答えが一つになることがあります。あなたはこの町の未来について、どういう考えを持っていますか。この町の素晴らしさをどう次の世代に伝えていきたいですか、と問いかけることで、考えを共有してきました。基本は住民は皆、大森町が大好きである、ということです。

話を世界遺産に戻しましょう。私の協議会長としての仕事の一つに、世界遺産に向けて町に出店したいと外部から見える商業者に対応することがありました。

それぞれの商業者とお会いし、この町に出店する目的や店舗運営の考え方をお聞きしながら、こちらからもこの町にはこの町のルールがあることを説明して、イベント的に出店されて短期間で撤退されては困る、といった話をしました。そういったことをともに理解をしたうえで進めていきましょうと。結局、出店された方の9割以上が撤退されました。

住民同士の話し合いでなんとか合意形成がとれたら、今度は行政との話し合いです。行政とも、ずいぶんやり合いました。行政は世界遺産がこの町にプラスになるとしか頭にないわけですから、会議がヒートアップすることもしょっちゅう。そうすると互いに机を叩きながら大激論になります。

行政の担当者は、それこそ昔から知っている飲み仲間。しかし世界遺産の話になると、彼らは行政、私は住民の立場で向かい合って激論をたたかわせる。お互いに性格まで知っているわけですから、悪い人間ではないことはわかっています。身近な人と対峙していく厳しさはありましたね。

行政からは、さまざまな提案がなされました。たとえば世界遺産センターを町の中につくるという話。まずもって、この町にはそんな場所はありません。だから違う場所にして、目的地手前で自家用車を駐車し、そこからバスに乗り継いでいただくパークアンドライド方式を採用してもらうことにしました。

また大きな看板をあちこちに出そうとするので、それは町の景観を壊すからやめてほしいと。そもそもこの町は重伝建地区に選定されたときから、看板を排除してきた歴史があるのです。私も本店をオープンするときに、数個つくっておいた看板は、結局使わず、最後は薪になりました。

行政の担当者と協議し、結果的に、看板のサイズや素材を定めたサイン計画ができあがりました。町並みの景観に配慮できるよう住民と協議し、文言まで、こちらが考えるというものでした。特に駐車場の問題や町内の交通形態など、町全体に関わることについては、町の代表と行政の担当者が共同して検討する場として「ルール検討会」を設けました。自然と人と遺跡が調和した大森町の姿を守ることを念頭に、住民憲章の草案づくり、町内での出店や土地の売買など商業活動におけるルールの作成、そして登録後の観光客急増による影響をやわらげるパークアンドライドの検討といった議論を重ねてやっていました。

たくさん人が押し寄せて壊されたこと、気づいたこと

2007年7月、石見銀山は世界遺産に登録されました。この日、東京大学教授（当時）で都市計画を専門に研究されている西村幸夫先生から、私たちあてにメールをいただきました。

「石見銀山が世界遺産に登録されて、あなたたちはがっかりしているかもしれない。でもせっかく世界遺産になったのだから、そんじょそこらの世界遺産ではなく、イタリアの小さな村からアンチファーストフードに端を発してスローフードが世界中に広まったように、世界標準になるようなライフスタイルを発信してほしい」

西村先生は、私たちのことを「この会社は、単に雑貨業でもなく、アパレル業でもなく、この夫婦の生き方が産業になっている」とご著書の中でご紹介くださっていた方。また日本イコモス国内委員会（国際記念物遺跡会議）の委員長として、世界遺産登録にも関わっていらっしゃいました。私たちはこのメールにとても励まされ、そしてひょっとしたら本当にそれが可能かもしれないと思い始めました。

しかしながら世界遺産登録直後の8月、9月、10月。この小さな町に、ものすごい数の人が押し寄せてきました。多い日には人口４００人の町に1万人もの人がやってきたのです。まさに激震です。この3カ月に発生した問題は、私たちの想像をはるかにこえるものでした。

問題は大きく3点。

まず1点目は、この町の魅力が見えなくなってしまったことです。訪れる人の多くは「世界遺産」という4文字にひかれてくるわけですから、目的は銀山の見学で、この町の魅力は二の次、三の次。私たちとしては、この町の暮らしの豊かさを前面に出したいわけですから、当然そこに温度差が生じます。

実際、本店に見えたお客さまから「お宅も世界遺産になったから、お店をつくったんですか」と言われたときのショックといったら……。これまで私たちがやってきた町並み保存やお客さまとゆっくり築いてきた関係性がすべて消されてしまったのです。これが1点目の問題点です。

2点目は町のキャパシティーの問題です。人口400人のこの町に1日1万人をこえる人が押し寄せると、どうなるか想像がつきますか。本店は私の家の目の前にありますが、家から本店にいく幅3メートルの道路が人の波で渡れないのです。まるで原宿の竹下通りです。歩く人は右も左も関係なく、前の人の背中を見ながら、どんどん歩く。異常な事態ですが、これが実態でした。

町に人が増えることで、ゴミやトイレの問題も起こりました。驚いたことに私の家の前の溝で用を足した人もいます。観光の目的が何かを忘れ、マナーや秩序、感謝といった人間本来の姿まで失われてしまった気がしました。

周りはたくさん人が来て素晴らしいというけれど、住民からするととんでもない。せっかく来てくださったお客さまに十分なおもてなしができるわけもなく、町のキャパシティーをこえた集客は、住民、観光客、両者にとって地獄を見る結果となったのです。

①世界遺産·石見銀山の看板。②住民たちの手でつくりあげた「大森町住民憲章」。③当社唯一の看板も小さな木でつくったささやかなもの。④世界遺産に登録された2007年、メインストリートは大勢の観光客であふれました。⑤観光バスの乗り場。大吉さんはバスに乗る人たちに、この町のよさを必死で訴えました。

❸

❹

❺

3点目は、経済的なピークをつくってしまったことです。世界遺産登録から3カ月は、人が大勢押し寄せて、この町にお金を落としていった。しかし3カ月を過ぎると、徐々に訪れる人は減っていきました。

地方の経済というのは、ゆっくりと成長していくことが住民にとっても商売人にとってもいいわけです。ピークをつくることは、その黄金成長率を焦がしてしまう。ブームをつくっては荒廃させていく消費型の観光地は日本各地に山ほどあります。黄金成長率を無視し、単に目先の利益だけを追いかけた結果です。

そのような事態に直面し、私なりに対応策をとりました。まず駐車場に給水所を設置し、お客さまが水を自由に飲めるようにしました。夏場で非常に暑い時期でしたので、倒れる人がいるのではないかと心配したのです。

そして観光バスを待つ人に向けて、拡声器で「この町のよさは世界遺産だけではありません。今度はぜひ町並みを見に来てください」とずっと語りかけました。本当の町のよさを知らずに帰られることが残念でしょうがなかった。

たいていの人が「この男、何をしゃべっているんだろう」と私のことを不審な目で見ていましたが、中には「あなたの言っている意味がよくわかりました」と声をかけてくれる人もいました。

非常に厳しい夏でしたが、ブームは1年ぐらいで収束しました。

目指すのは、町のキャパシティーを意識した「生活観光」

この世界遺産登録の経験があって、私たちは根本的に観光のあり方を見直すことになりました。観光といっても、私たらが目指すものは「生活観光」です。

生活観光とは、訪れた人が私たちの暮らしを見たり、ここで出会う人と交流したりする新しい観光スタイルです。

私たちはこれまで30年以上、町づくりをしてきましたが、訪れた方には、この古い町並みを生かした暮らしのあり方や、私たちの姿を見ていただいてきました。そして若者たちがここで本当に豊かに暮らしていることを感じ取っていただきたいのです。たとえば、Iターンで来ている若者が、この町で結婚して家を探そうとしている、そういう話を聞くだけでも面白いと思います。

キーワードは「感動」です。人やもの、歴史を通して、お客さま一人一人に、どんな感動価値を与えることができるのか、それを柱に考えていきたい。私たちの暮らしの豊かさや誇りをどう表現していくか、住民もまた努力していく必要があるだろうと思っています。

今、この町には約80軒の空き家があります。私たちは、この空き家をできるだけ活用して宿泊施設や学校の教育施設として再生させたい。そしてお客さまは、こうした施設で過ごして町の人たちとも関わりを持ってもらいたいと考えています。ですから生活観光は「関わり観光」と言ってもいいかもしれません。

これは、いわゆる観光地としての見どころや名物がなくても、どこの地方でもできることではないでしょうか。

そのときに重要なのが「キャパシティー」の問題です。私たちは世界遺産登録直後に、町に訪れる人の数が、町の器以上になってはいけないということをいやというほど思い知らされました。年間通して、標準的にお客さまに来ていただくしくみをつくる。これが生活観光のポイントです。

世界遺産に登録された年に、ここを訪れた人は約70万人。これは異常です。そこから考えると、年間通して30万人ぐらいがちょうどいいのではないかと町民同士で話しています。季節によって変化があったとしても、その波をレストランもお菓子屋さんも理解し、みんなが持続できるしくみをつくっていけるのが望ましいですね。

私たちの会社でも生活観光をおし進めるために、「石見銀山生活観光研究所」という子会社を立ち上げ、石見銀山生活文化研究所から、不動産や宿泊施設などの観光事業を引き継ぎ、行政や企業と連携しながら新しい町づくり事業を始めました。

民間が本来、行政の担うべき仕事にまで踏み込んでともに創る。つまり官と民が「共創」して新しい集合体をつくる時代に入るでしょう。

そのときに大切なことは、目先の利益ではなく、感謝や利他の精神。こういった人間本来の心のあり方が求められるのではないでしょうか。この町の歴史教育資源を生かし、教育的環境、施設、人財を活用し、経済至上主義から人間性向上主義へと取り組んでいきたいと思います。

5章まとめ

地域の暮らしの豊かさや誇りが観光になる
「**生活観光**」の時代。

ゆっくりとなだらかに成長していくのが、
地方経済の黄金成長率。

目先の利益を追って**ピークをつくってはいけない**。

とにかくたくさん人が集まればよい、という考えは誤り。
町にはキャパシティーがある。

第６章

若者が大森町に移住する理由

採用基準は「自分の可能性に気づいていない子」

鄙のひなまつりを始めたころから、我社ではスタッフを雇用するようになりました。といってもその当時は、正式に募集をかけて、面接して、採用してというものではありません。その多くが誰かの口利きでした。

ふらふらしているから面倒見てくれって、身内の方から頼まれたり、知り合いでこういう子がいるから、お宅で預かってくれと言われたりして、預かった子もいます。履歴書なんて誰も出していませんでした。

大吉さんは、とにかく人の面倒を見るのが好きでしたから、周りからは気になる子の面倒を見てもらえるんじゃないかと思われていたのかもしれないですね。都会よりもゆっくりと時間が流れる田舎で預かってもらったほうがいいんじゃないかと思われていたのかもしれません。

最初は人づてでお預かりしていましたが、そのうちどこかで当社を知り、入社を希望される方も出てきました。

当時の大吉さんの採用基準は「自分の可能性に気づいていない子」。まだ自分の持っているものに気づいていない、どういう道に進んでいいかわからない、そういう自信のなさそうな子を好んで採用していました。

とかく即戦力になる人材が求められがちですが、一人一人の若者には個性的な可能性を秘めている人も少なくありません。初めのうちは、本人にも私たちにも辛抱の時期がありますが、そのうち光るものが見え始めます。

昔は入社した人とは、一緒に住んで、一緒にごはんを食べて、まさに寝食を共にしていました。

みんなで食事をする習慣は昔から。名古屋時代から大吉さんは誰かをすぐに食事に誘う人でした。大森町に帰ってからも家には社員や近所の人が常にいて、私は常時、食事の支度をしていたような時期もあります。秋になれば、松茸（まつたけ）を採ってきて松茸パーティをやろうって、しょっちゅう食事会も開いていました。ですから家族だけで食事をした記憶は、ほとんどないほどでした。

「同じ釜の飯を食う」という言葉には、苦楽をともにするという意味があります。

ここに集まった人たちはみんな、いいところもそうでないところも見せ合いながら、一緒に成長してきた気がします。

大森町はベビーラッシュ

若い人たちが当社に興味を持って、移住者が増え始めたのは10年前ぐらいのことでしょうか。現在、U・Iターンしてきた若者は、大森町で働く我社の社員の3分の2を占めます。単身でやってきた人だけでなく、家族でやってきた人やここで結婚して家族が増えた人もいます。

大森町は当社だけでなく、義肢装具の製造を行っている中村ブレイスさんなど、ある程度の雇用を生み出す規模の会社があり、移住者が快適に暮らせる環境がととのっていることから、町外から引っ越してくる人もいます。

大田市役所市民課によると、2012年3月から2021年3月までに、大森町に転入した世帯数は32世帯。そして出生数は43人。年間平均出生数4・8人というのは、驚くべきことです。たった人口400人の町にベビーラッシュが起こったのです。

大森町内には保育園と小学校があり、中学校以降は町外に通うことになります。一時期は園児が2名まで減り、存続を危ぶまれた「大森さくら保育園」は、現在25名まで増えました（2021年7月現在）。待機児童が出るほどでしたが、2019年度から認可保育園となり、乳児棟が増設されて、受け入れる体制がととのいました。

「大森小学校」の全校児童は、現在14名（2021年5月現在）。違う学年の子どもが机を並べる複式学級ですが、保育園の人数から考えると、今後増えていくでしょうね。

大森さくら保育園は大森小学校の一角にあるため、幅広い年齢の子どもたちが交流し、小学校の先生だけでなく保育園の先生も、子どもたちが小学校を卒業するまで成長を見守ってくださるありがたい環境です。

「森のどんぐりくらぶ」は、大森町にU・Iターンしてきた子育て家族を支えるための支援サークル。妊婦さんや乳幼児のお母さんを対象にした「やまりすクラス」

と小学生向けの放課後こども教室「うりぼうクラス」の二つのクラスを、地域のボランティアの方たちの協力をいただいて運営しています。

こうした支援サークルもありますし、町の人たちはみんな子どもの名前を覚えて、出会ったら名前を呼んで声をかけますので、U・Iターンしてきた家族も子育てしやすい環境だと思います。

保育園の発表会や小学校の運動会には、子どものいる人もいない人も応援に行き、町全体が子どもたちから元気をもらっています。学校が休みになると鄙舎に来て、やぎと遊んだり、田んぼのれんげをつんだり、子どもたちはのびのびと遊んでいますよ。

阿部家の料理人、小野寺拓郎さんも大森町に移住した人の一人。もともと西荻窪の古民家カフェ「りげんどう」で働いていましたが、「大森町で働いてみないか」と大吉さんに声をかけられ、単身でやってきて、1カ月後に奥さんと子どもを呼びよせました。家族が増えて、今は4人の子どものお父さん。大森町内の古民家を買い求めて、一家6人で暮らしています。この町では、町の人みんなが、子どもたちを見てくれる安心感があると言います。

大森町に移住して10年目になる鈴木良拓（よしひろ）さんは、2014年に立ち上げた里山の資源をいかしたブランド「Gungendo Laboratory」の中心人物でしたが、2年前に「百姓になりたい」と当社を卒業。正社員から「関わり社員」という肩書に変わり、農家になりました。今は固定種・在来種の野菜やハーブを環境負荷の小さい自然農法で育てる「令和の百姓」として、奥さんと子ども二人とともにこの町に根を下ろしています。

これまでは単身で東京と大森町を行ったり来たりしていたオンライン事業担当の六浦（むつうら）千絵さんは、コロナ禍にフリーランスのカメラマンであるご主人と子どもと一緒に大森町に移り住みました。六浦さんは最近、二人目を出産。こちらも家族が増えて、ますますにぎやかになりそうです。

働くために暮らす東京、暮らすために働く大森町

どこの地方も若者を呼び寄せることに力を注いでいます。私もよく「どうやって

若者を集めたのですか」と聞かれます。

当社の場合、一つのきっかけは「生きるように働く」をコンセプトにした求人サイト「日本仕事百貨」で求人募集をするようになったことでしょうか。そのサイトでは、これまでに何度か当社で働く若いスタッフの、ここでの暮らしや仕事について紹介していただきました。山碕さん（180ページ）も、この記事を読んで応募してくれました。また講演会やメディアがきっかけで、入社を志望してくれる子もいました。ここに来る若者たちは、単に収入だけではない、稼ぐこと以上に有意義なことを求めて来てくれているように思います。

田舎は閉鎖的で外から来る人が溶け込みにくい。そんなイメージがありますが、田舎でも歴史をひも解けば、かつては外からやってくる人を受け入れていたことがあったかもしれません。大森町はかつて銀山が栄えた大都市で、全国からたくさんの人が集まっていたので、もともと外の人を自然に受け入れる土壌があります。ですから、あまり閉鎖的ではなく、どちらかというと町全体に家族的なあたたかい雰囲気があるのではないかと思います。うちのスタッフも、近所のおじいちゃんに畑を習ったり、奥さんから料理を習ったり、地元の人によくしてもらっていますよ。

昔、東京の広告会社で働いていた社員が、大森町にきてから「東京では働くために暮らしていたけれど、ここでは暮らすために働く」という名言を残しています。全く逆の発想になったと語ってくれました。

若い人たちがここでの暮らしを幸せに感じてくれているとしたら、ここにはやはり人間らしい暮らしがあるからでしょうね。

一つは自然です。ここは常に土の上に足を下ろし、緑に囲まれ、猿や猪などの動物にも出会える。人間は、本能的にそういうものを望むのではないかと思います。

もう一つは、あたたかい人間関係です。幸せも不幸せも、そのほとんどが人間関係に起因しています。大森町には、みんなが声をかけ合って、一緒にごはんを食べたり、海や山に遊びにいったりという人と人とのつながりがあります。三浦さん（168ページ）もインターンで大森町に1カ月住んだときは、一人で食事をしたことがなかったと話していますね。ここでは人間らしく生きられて、周りに喜びをともにできる人たちがいるのです。

インターンは、ここでの暮らしの研修をするために、1カ月という長い期間を設定し、インターン生には、阿部家の掃除から食事の支度まで、暮らしに関わることを何でもしてもらっていました。

中でも最高の社会勉強は、阿部家にお見えになったお客さまと夕食時に、お運びしながらいろいろな話を耳にしたことでしょうね。

昔は家にお客さまが来られたり、親戚が集まったりと、子どもながらに自然に大人の話を耳にする機会が多かったと思いますが、今はそういう機会はなかなかありませんから、とても貴重な時間だったのではないでしょうか。

若い人たちにはこの町に長く住んでもらって、ずっと一緒にやっていけるとうれしいですが、さまざまな事情で辞めていく人もいます。

阿部家を辞めるスタッフには、私はいつも手づくりの卒業アルバムを渡していきます。スタッフを家族のように思っているので「これは退職じゃなくて卒業ね」って、その子との思い出写真に言葉を入れて、1冊のアルバムにしてプレゼントしているんです。いつかアルバムを開いたときに、在職中にすごく叱られたことも「あれは愛だったんだ」って思ってくれるかなって（笑）。

いざ移住してみたら想像と違ったり、水に合う合わないがあるかもしれませんが、一度この町に関わったら、単に楽しかったというだけでなく、ここで何かを学び、何かをつくり、ここに足あとを残す生き方をしてほしいですね。

そして、ここを旅立っても、また行き来しながら、この町と関わりつづけてもらえるようなおつき合いができるといいなと思っています。本人の中で、この町と出合えてよかったと幸せを感じてもらえれば、これ以上のことはありません。

継続して利益を上げていくのも会社の大きな目的の一つですが、私たちは事業を通して、この町に暮らす次の世代の人たちを育てていくことも大切な目的と考えています。この会社で働いたからこそ成長した、そういう会社でありたいですね。

大森町に
移住した若者たち

「仕事」と「暮らし」混ざり合っていて心地よい

「三浦編集室」編集長
三浦 類さん

みうら・るい／1986年、愛知県名古屋市生まれ。子ども時代は、アメリカや南アフリカで過ごす。東京外国語大学外国語学部スペイン語専攻卒業後、2011年に「株式会社石見銀山生活文化研究所」に入社。3年後、石見銀山、大森町の暮らしを伝える企業広報紙「三浦編集長」を創刊。現在は妻と2歳の娘の3人暮らし。

日本の片隅に自分の知らない世界があった

僕がこの会社と出合ったのは、大学生も終わりのころ。新聞記者になりたくて就職活動をしたけれどうまくいかず、この先どうしようかなと思っていた時期に、ゼミの先生からすすめられて大吉さんの講演会に行ったんです。大吉さんは企業の経営者なのに、全く会社のことも商品のことも話さない。ずっと大森町の話をしていました。大森町には歴史や文化があって、住民が自分たちの手で守って暮らしてきた町なんだと。

僕自身、大学では外国語学部に学び、海外暮らしの経験もあったので、どちらかというと海外に目が向いた学生でしたが、それと似たような好奇心を大吉さんの話す大森町にも抱きました。外の世界ばかり見ていたけれど、日本の片隅に自分の知らない世界があるんじゃないかと、初めてそんなふうに思ったのです。そこで一度、丁稚奉公（でっちぼうこう）に行かせてください、というお手紙を書いて、学生最後の夏休みにインターンとして受け入れてもらいました。

インターンでは、カフェの皿洗いや他郷阿部家の接待、登美さんの名刺の整理など、いろいろな仕事を手伝わせてもらいました。いちばん印象に残っているのは、インターンの間、一度も一人で食事をしなかったこと。毎日誰かとごはんを食べて、お酒を飲んでいました。しかも会社の人だけでなく、町の人も温泉や海などに遊びに連れていってくれて、とにかく「人」と一緒に過ごした1カ月でした。

当時、東京では隣の人も知らない、挨拶もないような都会のワンルームのアパート暮らし。こういった人と人とのつながりがある中で暮らしながら働けたら、すごく豊かだなという気持ちが芽生えてきました。それまでは新聞記者になることしか考えていませんでした。要は仕事を職種や業種の範囲でしかとらえていなかったわけですが、このインターンを通して、自分はどういうところで働きたいのか、どういう生き方や暮らし方がしたいのか、そこにちゃんと目を向けられるようになったのです。

大森町の地に足がつくまで、丸3年

インターンを終えて、東京に戻り、いったん腰をすえて考えましたが、やはり大森町に暮らしてみたいという気持ちが強く、大学卒業後、晴れて正社員として入社しました。最初の住処（すみか）は、古民家をモダンに改修した男子寮。きちんと料理ができる台所があったのが東京のアパートと決定的に違う点でした。

何よりもこの大森町という町並みの中に暮らすことにワクワクしていました。

建物の外観は江戸時代そのもので、ものすごいタイムスリップ感がある。でもそこに現代の人々の暮らしが息づいているという不思議さ。時折フクロウの鳴き声が聞こえてくる夜の静けさも、東京との違いを実感したことですね。

しかし会社に入れてもらったのはいいけれど、自分にこれができるというスキルがあるわけでもなく、カフェの仕事や登美さんの秘書をしながら、販売促進や広報業務に近いことをしていましたが、なかなか会社の中で自分の役割が見つけられず、3年間ぐらいはくすぶっていました。

一方、暮らしの面では、鈴木良拓くんという同年代の仲間が入って来たことで、一緒に狩猟免許を取得して猪をとったり、海に釣りに行ったり、どんどん充実してきました。

暮らしだけでなく、ようやく仕事の充実感を得られるようになったのは、会社の広報誌をつくるという仕事を始めてからです。あるとき、大吉さんから呼び出されて、お前も3年経って暮らしに慣れてきただろうから、何か自分の感じていることを発信したらどうだ、とあるタブロイド紙を見せられたのです。大吉さんは会社の宣伝はしなくていい、会社が大事にしている「暮らし」を発信する、新聞の名前は「三浦編集長」でいけって。方向性は最初から決まっていました。そこから自分の暮らしの中で感じていることを外に伝えていく、ずっとやりたかった新聞記者に近い仕事をすることになったのです。

自分が活躍できる場を与えてもらって仕事面が充実し始めると、島根の中でいろいろな友人ができ始めて、だんだん地に足がついてきたような感覚がありました。それには丸3年という時間が必要だったように思います。

オンとオフのない生活は、いつでも自然体

その後、社員寮を出て、町内の別の一軒家で一人暮らしを始めて、しばらくしてから結婚しました。妻は岐阜出身。大阪に住んでいましたが、こちらに来てくれました。最初は家族や友だちと離れて寂しがっていましたが、近所の人がすぐに受け入れてくれて、だんだん気持ちもほぐれて暮らしを楽しむようになりました。

娘が生まれたときも近所の人たちは誕生をすごく喜んでくれて、出会えば名前で呼んでくれて、自分たちの親のように、あたたかく成長を見守ってくださっています。今は2歳になり、保育園に通い始めましたが、保育園の子どもたちも、もともと娘のことを知っているので、スムーズに慣れることができましたね。

ここで暮らして10年。学生時代、暮らしというのは「仕事から帰ってごはん

を食べて寝る」というイメージしかありませんでした。オンとオフがあれば、オンが仕事で、オフが暮らし。でもこの町では、仕事がメインでもなく、暮らしがメインでもなく、どちらも混ざり合っています。仕事をする中で町に関わることが出てくるし、暮らしを楽しむことが新聞のネタになる。仕事と暮らしの境目がなく結びついているので、自分自身がいつもリラックスして自然体でいられます。僕にとっては、それがすごく楽で心地よく感じています。

当初、拝命した「三浦編集長」では、個人的な視点ながら、会社が本来大事にしている大森町の暮らしをお伝えしてきました。そして今は「三浦編集室・」という形にリニューアルし、社内外いろいろな書き手に参加していただいて、紙面をつくっています。今後けそういった書き手と読者がつながり、交流したり、新たな企画を生み出したりといったことがあればいいなと思っています。

他にもオンラインの読みものコンテンツをつくる仕事も任されています。そういった編集の仕事をきちんと回して、ただ、ものを売っているだけはない、暮らしや文化を伝える会社であるということを根強く発信していきたいですね。

今はこの暮らしがすごく心地よいので、できるだけ長くこの暮らしを楽しみたいですし、もっと自分の暮らしを豊かにしていきたいという思いがあります。いつか古民家を自分の手で直して住んでみたいですね。

大森町に移住した若者たち

「内なるアウトサイダー」としてこの町の可能性を広げていきたい

「梅花ビール」プロデューサー

伊藤俊一さん

いとう・しゅんいち／1995年、アメリカ・ロサンゼルス生まれ。父は日本人、母は日米ハーフ。生後3カ月から10歳まで横浜で過ごした後、アメリカ・ニュージャージーへ。カリフォルニア大学バークレー校を卒業し、2018年に「株式会社石見銀山生活文化研究所」に入社。「関わり社員」としてインバウンド事業や「梅花ビール」の開発・販売を担当。

アメリカから夏休みにインターンで来日

僕が群言堂のことを知ったのは、あるテレビ番組でした。アメリカで放送している「NHK WORLD-JAPAN」で、大森町と群言堂のことが取り上げられ、そこに住む若者たちが集まって、経済だけでなく文化のことを話していたのです。

当時、僕はアメリカの大学で社会学を学んでいて、「希望学」という学問に興味を持ち始めていました。希望学というのは、東京大学の玄田有史教授が取り組んでいる、希望と社会の関係を考察する研究で、近年の日本社会や若者が希望を持ちづらくなっている現状を知りました。

でもテレビに映る大森町に住む若者たちは、そこでの暮らしを心から楽しんでいるように見える。実際にそこで起こっていることを見てみたいという気持ちがわき、「夏の間にインターンをさせていただけますか」というメールを送りました。すると、OKの返事をいただき、そこから群言堂とのつながりが始まりました。大学3年生のときです。

インターンは他郷阿部家で1カ月。最初は掃除や食器洗いなど不慣れな業務にヘトヘト。でも、だんだん慣れてくるにつれて楽しくなり、スタッフのためにバーを開いて、得意のカクテルや料理をつくるなどして自分の活動を広げていきました。しかしインターン3週間目に、体調をくずし、完全にダウン（笑）。どうにか1カ月のインターンを終えて、アメリカに戻りました。

　アメリカに戻ってからは卒業論文に取りかかりました。阿部家でのインターン経験をもとに、登美さんや大吉さんにもヒアリングさせていただきながら、日本の若者たちは田舎で暮らして、どうやって新しい価値観や希望を見出しているかということをまとめました。それが学内で高い評価を得て優秀賞を受賞。すごくうれしかったですね。

　卒業後の進路については、父から「お前はお金もうけに向いていない。ソーシャルな仕事をしたほうがいい」と言われ、自分なりに迷っていたところに、登美さんと大吉さんから「こっちに来て試してみたら」と言っていただき、卒業後は関わり社員として入社することになりました。

　入社当初は、外国から来るお客さまをご案内し、この町や暮らし、会社のことを伝えるというミッションをいただいていましたが、コロナ禍で状況が大きく変わったため、2019年の夏からは、クラフトビールづくりに携わっています。

　家は町のNPO法人が管理している一軒家。ご近所さんたちがすごくあたたかい人たちで、僕のようなよそものが入ってきても、面倒を見てくれたり、心配したりしてくれる。つくづく大森町のいちばんの魅力は「人」だと感じます。大森町は美しい町並みが魅力ですが、その町をつくっているのも、ここの住民の方ですから、やっぱり人の素晴らしさが第一にあると思います。

小さいコミュニティだからこそ、まず自分が動く

会社に入ってから、僕なりに自分の居場所をつくろうとしていましたが、なかなか思うようにいかないことも多かったですね。たとえば、僕の所属している「根のある暮らし編集室」。いざみんなでまとまって何かやろうとしても、それぞれに忙しかったり、スケジュールが合わなかったりしてうまく進まない。

小さいコミュニティだから変えやすいと思ったけれど、そうじゃなかった。小さいコミュニティだからこそ、その中で折り合いをつけて、ネゴシエーションしていくことが重要なんですね。単に押すだけじゃなくて、1回引いて考え直す。そもそも自由な仲よし組でやろうとするから難しいわけで、最初は自分が主体的に動く。自分が何か行動を始めて、少し成功したら、だんだんそこに人が集まる、そういう新しい方法論が必要になることに気づきました。

ビールをつくるときも、まさにそうです。ここには梅花酵母という酵母菌が

ありますが、ほとんどが化粧品に使われていました。隣の市にビールの製造工場もあるので、ビールがつくれるのではないかと提案したら「じゃあ、やってみたら」と実行し始めました。最初は1人で始めましたが、今は社内でラベルをつくってもらったり、編集部のメンバーにも材料調達などに関わってもらったりしています。

立ち上げて2年。現在はオンラインでも販売するようになり、だいぶ軌道にのってきました。サンフランシスコのフェリービルディングという海のそばのマーケットのように、地元の食材やビールを気軽に楽しめる風土と文化を大森町でもつくれたらいいなと思っています。

僕は「内なるアウトサイダー」

大森町に若者が集まってくるのは、いちばんは仕事があるからだと思います。この町には群言堂もありますし、義肢装具製造メーカーの中村ブレイスさんもありますから、仕事が得られれば、ある程度の安定した収入が得られます。プラス、そこには若者が関われる余白があるので、自分らしい仕事や場所をつくれるのではないかという希望があります。そういう意味で、ここは可能性のある町だと思うのです。

僕自身でいうと、ここに住み始めてから自分の目指していることや考えていることが少しずつ叶っています。僕の目標は、「当たり前」と思われていることを第三者の視点からくずし、新たな可能性をつくりたい。くずすというより、その線をちょっと動かして、それを見てくれた人が「それって面白そう」「そんな生き方があったんだ」と集まって、一緒に何かつくっていけるのが理想です。僕がそのきっかけをつくる役になれたらいいですね。

先のことはわかりませんが、ここにずっと住むとは思ってはいません。「内なるアウトサイダー」という言葉がありますが、僕はアメリカ人と日本人の両方のアイデンティティがあって、中に入ってもいつもアウトサイダーのように第三者的な視点で見ています。それが僕の強みでもあるので、長くいてだんだんとそこに染まり、その視点を失ってしまわないかが心配。

その感覚を大切にしながら、大森町や群言堂とは、ずっとつながっていきたいと思います。お世話になっている登美さんや大吉さんに恩返ししたいので、外に出て何か学んだら、また戻ってきて学んだことをここで活用して、この場所をもっとよくしていきたいですね。

大森町に移住した若者たち

ここには、しんどいけれど楽しい、「楽しんどい」暮らしがあります

「他郷阿部家」暮らし紡ぎ係

山碕千浩さん

やまさき・ちひろ／1994年、島根県飯南町生まれ。島根県の公立高校卒業後、早稲田大学社会科学部に進学のため上京。大学卒業後、大手アパレル会社の飲食部門に入社。東京都内のカフェのキッチン社員として2年半働いたのちに帰郷し、2019年に「株式会社石見銀山生活観光研究所」に入社。本店のカフェを経て他郷阿部家に勤務。

自分らしい働き方を求め東京から島根へ

もともと島根県出身。東京都内で働いていた会社を辞めてUターン就職をしたのは、そのときにしていた仕事が、自分の思い描いていたイメージとちょっと違うなという苦しさを感じていたからです。

新卒で入社した当時の会社は、大手アパレル会社の飲食部門を担う社内カンパニーでした。駅ビルや百貨店に入っているカフェ兼レストランで、キッチン社員として働いていました。

収入は安定し、福利厚生もととのっていたけれど、何かしっくりこない。どこか「私」がなくなっていくような違和感がありました。

大学時代は、現地でフィールドワークをしたり、家具から映像までいろいろなものをつくったりして表現する「空間映像研究ゼミナール」というゼミに所属。年に一度の展示会では、設営から告知まで、すべて自分たちで行っていましたが、その準備がとにかくしんどいけれど楽しい。私は仕事にも、その「楽しんどい」を求めていたような気がします。

退職への気持ちが強まり、転職を考え始めてから、「日本仕事百貨」という求人サイトで、群言堂の仲間を集める募集記事に出合いました。

他郷阿部家で働く女性スタッフのインタビューを読むと、東京だとそれが仕事になるのかと少し驚くような、けっこうふわふわした内容で（笑）。すごく余白があるというか、そのゆとりにすごく羨ましさを感じました。

他の人のインタビューも、最後に「笑」がつくような遊び心のある話が多く、収入や労働ではない、自分らしく生きている人がいっぱいいる会社なんだろうなと。率直に、私もこの人たちの仲間に入れてもらいたい！　一緒に何かをしたら、私にとってよさそう。ここに入ったら、しんどいけれど楽しそうと思ったんです。

とはいえ、そこまでのキャリアもスキルもありません。でも、ないからこそ群言堂に学ぶために行きたいという気持ちで入社させてもらいました。

まさに楽しんどい！　おくどさんでのごはん炊き

ここで働き始めて、しみじみ喜びを感じることは、仕事中も自然と触れ合えることです。以前は一日中ビルの中にいて、日光を浴びることもありませんでした。でも今は、山に柴拾いに行ったり、庭の草木の手入れをしたり、日光を浴びながら、自然に触れる環境が当たり前にあるのは、本当にありがたくうれしいことです。

阿部家では、接客から予約、掃除、調理補助まで、さまざまな業務を担っています。お客さまがいらっしゃる日は午後から出勤し、部屋や夕食など、お客さまをお迎えする用意をし、お客さまが夕食を召し上がる時間を台所でともにさせていただいたあとは、片づけて退勤という形で過ごしています。

阿部家の仕事は暮らしそのものと言っても過言ではありませんが、自分の暮らしならＯＫだけど、仕事としてはＮＧということがあって、その塩梅が難しいですね。

たとえば季節の変わり目には、家の中のしつらえを変えて、お客さまをおもてなししますが、それも季節を追いかけるのではなく、先取りしなければなりません。その段取りも、天候に左右されることがあり、いつも計画通りにいくわけではない。これを当たり前にやっていた人々は、やはりすごいなと思いますね。

また掃除のレベルがケタ違いです。ふき掃除一つとっても、この素材は乾いた布でふく、ここには少し水気がほしいから、固くしぼった雑巾でふく、と場所によって、やり方が全く違う。全部一緒ではないことを、ここで初めて学びました。

初めて学んだといえば、おくどさんでごはんを炊くことです。この仕事は、阿部家にとっては命。それを任せてもらっているという責任感から、最初は緊張のほうが強く、それを楽しむ余裕はとてもありませんでした。やはりお客さまに召し上がっていただくものですし、直しがきかないものですから。

ごはんを炊くときは、かまどに火を入れて、この状態になったら薪をこういう形にして……、と頭の中はフル回転。でも最近は、薪のはぜる音や湯気の香り、米からごはんになるちょっとした変化を楽しめている自分もいます。

許されるならば、ここでずっと働きたい

今は、私を含めて5人のスタッフと女子寮に住んでいます。一人1室いただいていて、それ以外は共有しているのでシェアハウスのような形ですね。

休日は同じ寮のスタッフとおしゃべりをしたり、車で遠出をしたり、穏やかな時間を過ごしています。あそこの場所の景色はすごいよとか、あの山でこんなものが採れるよとか、スタッフの中には暮らしにまつわる楽しいことを教えてくれる人がたくさんいるのも面白いですね。

振り返ってみると、東京での暮らしもけっこう好きでしたが、やはり私に合うのは、こちらの暮らしかなという気がしています。おくどさんもそうですが、ここだと初めて知るものや使うものがたくさんあって、それを一つ一つできる

ようになるのが楽しい。暮らすうえで、自分のできることが増えている実感が持てるのはうれしいですね。

東京にいるときは年に数回しか帰れなかった実家にも、頻繁に帰れるようになり、それも一つの楽しみになっています。

実家は兼業農家で、子どものころから家の畑でとれた野菜が食卓にのぼったり、梅干しなどの保存食をつくったりという光景は当たり前にありました。その当たり前の価値がわかったのは、やはりこちらに戻ってきてからです。阿部家でやっていることとつながって、それはどういうふうにつくったのかとか、自分でもやってみようとか自分事として見られるようになりました。祖父母がしていたことや、実家のことをもっと知りたい、そんな興味がわいてきたのも、自分の中の大きな変化です。

自分の理想を求めて移住してきましたが、方向性は間違っていなかったと思っています。許されるならば、ここでずっと働きたいですね、今のところは（笑）。ここでは、みんな「山菜採りならこの人」「狩猟ならこの人」と、この人と言えばこれ、という得意分野がそれぞれにあります。私も今後は、これといった自分からわき出る何かを探したい。楽しいと思うことを自分からいっぱい見つけて、楽しんどい人生をおくっていきたいです。

6章まとめ

この町の若い人たちが
自ら**暮らしや仕事を発信**してくれたことで
若い人が集まるようになった。

若い人たちは単に収入だけでなく、
稼ぐこと以上に**有意義なこと**を求めて、
地方に移住している。

この町で暮らす**次の世代**を育てることも
事業の大切な目的。

おわりに

私は昭和24年生まれ。子どものころは終戦後の貧しい時代でしたが、貧しいながらも、大人も若者もみんな生き生きと希望を持って生きていました。今考えると私世代は本当によい時代を生きてきたと思います。と同時に、次の世代のために今、何をすべきか、つくづく考えるようになりました。高度経済成長、バブル経済も経験してきたからこそ、何が本当の幸せか、真の豊かさかを気づいているはずです。

私の座右の銘は「心想事成（しんそうじせい）」です。心に想えば事が成るという意味ですが、まずはこうありたいと強く想う心を大切にしています。今、私がこうありたいと目指しているのは「美しい循環」。自然や経済、人間関係など日々の暮らしにあるものすべてが「美しい循環」を描ける社会になることを願い、できることから実践しています。

具体的にはまず、この町にある里山の自然環境をよりよくすること。里山の美しさというのは、自然界と人間界が、ほどよく折り合いをつけて、はじめて美しさが保たれます。自然のままに放置していたら、荒れていきますし、人間の手を入れすぎても美しくない。美しいバランスを保つには、町全体で自然環境をよくしていこうという意識を高めることが大切でしょうね。特に今は、自然災害の対策も重要です。

古民家改修に関しても、大手ではなく、近くのおつき合いのある職人さんにお願いするようにしています。若い人たちとも取り組んで、一緒に空間をつくりあげていくと、お金もその中で循環しますし、建物に対する愛着もわくはずです。

この町は人と人との関わりがとても濃く、若いときはその濃さを疎ましく思うことがあるかもしれませんが、根本ではともに地域に愛着を感じているという関係性はかけがえのないものです。

大森町に移り住んで約40年。この土地を自分に授かったものと受け入れて、人や物、家とのご縁を大事にしてきました。母はよく「授かり」という言葉を口にしていました。この土地は私に授かった土地と素直に受け入れることから、足下の宝が見えはじめました。

冒頭でご紹介した「草の種は、たとえ落ちたところが岩の上であっても、そこに根を下ろさなければならない」という厳しくも聞こえるこの言葉は、今となっては励ましの言葉だったと受け止めるようになりました。雑草がコンクリートの隙間やアスファルトを破って生えているのを見るたび、そのたくましさに励まされます。しかもそこには、お天道さまも雨も平等にふりそそがれているのです。そう考えると「ありがたいなぁ」と感謝の気持ちがあふれてきます。大森町では、自然にこういう気持ちになれる環境があり、私は次第に「過疎」という言葉にネガティブなイメージは薄らいでいきました。また、町づくりという旗を大仰に振りかざさなくても、結果的に私たちが長年やってきたことは、町づくりだったのだと、この本を書くにあたり漠然としていたことが明確になったように思います。

「登美さんの経験は小さな町の人を勇気づける」と言ってくださったのは、東京大学元教授の西村幸夫先生。大きな資本があったわけでもなく、いわば誰でもできることをやってきたことが、「私にもやれる」と小さな町の人を勇気づけるとおっしゃったことがあります。この本を読んでくださった方が、そんなふうに思ってくださったとしたらうれしく思います。

作家の森まゆみさんが私のことを書いてくださった『起業は山間から』（バジリコ）という本があります。このタイトルは、明治時代に自由民権運動が高知県から始まったことをあらわす「自由は土佐の山間より出づ」という言葉を引用してくださったものの。歴史上の大きな変化は、いつも地方から起こっています。コロナ禍で世の中が大きく変わる今、私たちも文化的な豊かさを実現する町づくりをここ大森町から発信していきたいですね。

今回の「令和2年度ふるさとづくり大賞」内閣総理大臣賞受賞は、私にいただいたというよりは、事業を一緒にやってきた夫の大吉さんはもとより、スタッフや町の人たちとともに受賞したと思っています。言葉にするときれいごとのように聞こえるかもしれませんが、心底そう思います。

改めて、皆様に心から感謝申し上げます。

松場登美

2021年10月

松場登美　まつば・とみ

1949年、三重県生まれ。株式会社「石見銀山生活文化研究所」代表取締役。服飾ブランド「群言堂」のデザイナー。1981年、夫である松場大吉の故郷、島根県大田市大森町に帰郷。1989年、町内の古民家を改装し、「コミュニケーション倶楽部 BURA　HOUSE（ブラハウス）」をオープン。以降、数軒の古民家を再生させる。1994年、服飾ブランド「群言堂」を立ち上げる。2003年、内閣府・国土交通省主催「観光カリスマ百選選定委員会」より観光カリスマに選ばれる。2006年、文部科学省・文化庁より文化審議会委員に任命される。2007年、内閣官房・都市整備本部より地域活性化伝道師に任命される。2008年、日経WOMAN「ウーマン・オブ・ザ・イヤー2008　総合3位」に選出される。株式会社「他郷阿部家」設立。2011年、株式会社「石見銀山生活文化研究所」代表取締役に就任。2021年、「令和2年度ふるさとづくり大賞」内閣総理大臣賞受賞。『群言堂の根のある暮らし―しあわせな田舎　石見銀山から』（家の光協会）、『なかよし別居のすすめ―定年後をいきいきと過ごす新しい夫婦の暮らし方』（小学館）など著書多数。

※本文内のデータ、数値などは2021年10月現在のものです。

過疎再生　奇跡を起こすまちづくり

人口400人の石見銀山に若者たちが移住する理由

2021年10月11日　初版第１刷発行

著者　松場登美
発行人　小澤洋美
発行所　株式会社小学館
〒101-8001 東京都千代田区一ツ橋2-3-1
編集:03-3230-5651　販売:03-5281-3555
印刷所　凸版印刷株式会社
製本所　株式会社　若林製本工場

装丁・デザイン　木下容美子
カバー写真　伊藤俊一
巻頭カラー写真　伊藤俊一
本文写真　伊藤俊一、一般社団法人はまのね（P96）
大田市役所（P151④、⑤）、三浦 類（P174）
取材・撮影協力　株式会社石見銀山生活文化研究所
DTP　昭和ブライト株式会社
校正　玄冬書林
編集協力　池田純子
編集　木村順治

ISBN978-4-09-388830-1